商务馆实用汉语听说教材
世界汉语教学学会 审订

什么时候说什么话

WHEN TO SAY WHAT

冯胜利　　　　　廖灏翔　　　　　王秋雨　编
Shengli Feng　　Haohsiang Liao　　Qiuyu Wang

商务印书馆
2008年·北京

图书在版编目(CIP)数据

什么时候说什么话/冯胜利等编.—北京：商务印书馆，2008
商务馆实用汉语听说教材
ISBN 978-7-100-05564-2

I.什… II.冯… III.汉语—口语—对外汉语教学—教材
IV. H195.4

中国版本图书馆CIP数据核字（2007）第108899号

商务馆实用汉语听说教材
什么时候说什么话
WHEN TO SAY WHAT
冯胜利　廖灏翔　王秋雨　编

商 务 印 书 馆 出 版
（北京王府井大街36号　邮政编码 100710）
商 务 印 书 馆 发 行
北京瑞古冠中印刷厂印刷
ISBN 978 - 7 - 100 - 05564 - 2

2008 年 6 月第 1 版　　　开本 880×1230　1/16
2008 年 6 月北京第 1 次印刷　印张 8¼
印数 4 000 册

定价：30.00 元

前　言

　　《什么时候说什么话》最初是为哈佛北京书院一对一的单班对话课而设计编写的。在对外汉语教学中，一般规定的日常课程都有相应教材。然而，为暑期项目的对话课专门设计的教材，坊间还没有过。于是，为了应此不时之需，我们设计编写了这本辅助教材。

　　这本教材虽然从题目上看是要教"怎么说话"(譬如怎么感谢、怎么拒绝等等)，但实际上，它所涉及的却是语言教学和教材编写中常被忽视而至今尚未理出头绪的一个重要课题——言语行为(speech act)。人们都知道，语言教学不能不教语音，不能没有词汇，更不能不讲语法；然而，随着教学水平的提高和学生要求的不断深入，大家也越发感觉到：仅教语音、词汇和语法是远远不够的。原因很简单，如果不会或不能在特定的环境中说说(或不说不该说)的话，那么不但无法交际，而且还会带来负面的结果，最后语言的学习也就失去了它原有的作用。这就是说，语用无可非议地也是对外汉语教学的重要内容。然而，语用虽重要，但我们并不赞成以情景为纲而不重言语行为的教材编写和课堂教学法。与此不同，我们力图创出一种以言语行为为纲同时兼取情景导入的方法。这本小册子就是在这种指导思想之下完成的。

　　毫无疑问，言语行为在普通语言学中尚属新的课题，在汉语语言学领域里更是如此——我们至今还不知道汉语的言语行为究竟有多少类型、有多少方式。因此，这本小册子里所收集的绝不可能网罗无遗。虽然如此，它仍然不失为以情景导入言语行为分类的有益探索。其中最基本、最重要的言语行为的类型都已收入。我们认为：从言语行为入手，或许正是帮助学生培养语用语感的最佳方法。尽管这或许就是语用教学的一个突破口，这方面的教学与教材都还是初步尝试。既是尝试，必不免疏漏和错误，我们期待同行和专家不吝赐教。

WHEN TO SAY WHAT

目　录
Index

什么时候说什么话
WHEN TO SAY WHAT

Lesson 1 Greeting
第一课　问<ruby>候<rt>Wènhòu</rt></ruby>

Situation 1 Morning on Campus
情景一　早上在校园里

Zǎoshang nǐ zài qù jiàoshì de lùshang yùdào Zhāng lǎoshī
早上你在去教室的路上遇到张老师

You meet teacher Zhang on the way to your classroom in the morning

How to say it

Zhāng lǎoshī, nín zǎo!
张老师，您早！
Good morning, teacher Zhang!

Zhāng lǎoshī zǎo!
张老师早！
Good morning, teacher Zhang!

1

怎么回答

How to reply

Zhāng lǎoshī zǎoshang hǎo!

张老师早上好!

Good morning, teacher Zhang!

(Dàwèi,) nǐzǎo! Shàngkè qù a?

(大卫,)你早!上课去啊?

Good morning(, David). Going to class?

Yùdào tóngxué

遇到同学

Meeting your classmates

怎么说

How to say it

Zǎo (a)!

早(啊)!

Good morning!

Zǎoshang hǎo!

早上好!

Good morning!

Yùdào péngyou xiàng xiàoyuán ménkǒu zǒu qù

遇到朋友向校园门口走去

Meeting a friend heading to the campus gate

怎么说

How to say it

Chūqù a?

出去啊?

Are you going out?

Rúguǒ shì chīfàn shíjiān
如果是吃饭时间
If it is around mealtime

怎么说
How to say it

Chī le ma?
吃了吗?
Have you eaten yet?

Situation 2　Meeting a Friend at the Cafeteria
情景二　　在餐厅遇到朋友

Xiàkè hòu nǐ qù cāntīng yùdào Zhōngguó péngyou Liú Méi
下课后你去餐厅遇到中国朋友刘梅
You meet your Chinese friend Liu Mei at the cafeteria after class

怎么说
How to say it

Zuìjìn zěnmeyàng? (Máng shénme ne?)
最近怎么样?(忙什么呢?)
How's it going?

怎么回答
How to reply

Hái bú cuò.
还不错。
Pretty good.

Hái shì lǎo yàngzi.
还是老样子。
The same.

Hái kěyǐ.
还可以。
Not bad.

Hái xíng.
还行。
So-so.

Hái chéng, xiā máng bei.
还成，瞎忙呗。
So-so, just busy.

Situation 3　Talking about or Greeting a Third Party
情景三　　提起或问候第三人

Tíqǐ yí wèi gòngtóng de péngyou, hǎojiǔ méi jiàn, xiǎng liǎojiě tā de jìnkuàng
提起一位共同的朋友，好久没见，想了解他的近况
You want to know how a mutual friend whom you have not seen for some time has been doing recently

怎么说
How to say it

Wáng Shān zuìjìn hái hǎo ba?
王山最近还好吧？
Everything is going well for Wang Shan, right?

Wáng Shān zuìjìn zěnmeyàng? Wǒ kě yǒu rìzi méi jiàndào tā le.
王山最近怎么样？我可有日子没见到他了。
How has Wang Shan been doing recently? I haven't seen him for quite a while.

4

Zuìjìn jiànguo Wáng Shān ma? Tā tǐng máng de ba?

最近见过王山吗?他挺忙的吧?

Have you seen Wang Shan recently? He must be very busy, huh?

Hǎojiǔ méi jiàndào Wáng Shān le, jiàndào tā, xiàng tā wènhǎo.

好久没见到王山了,见到他,向他问好。

I have not seen Wang Shan for a long time. Please say hello to him for me when you see him.

Zhèshí, Wáng Shān hé yí gè péngyou qiàhǎo lùguò

这时,王山和一个朋友恰好路过

Wang Shan walks by with a friend at that moment

How to say it

Zhèng shuō nǐ ne, nǐ jiù lái le.

正说你呢,你就来了。

There you are! We were just talking about you.

Zhēn shì shuō Cáo Cāo, Cáo Cāo dào.

真是说曹操,曹操到。

Speak of the devil...

Wáng Shān xiàng nǐ jièshào tā de péngyou, yǐqián nǐ tīng Wáng Shān tíqǐguo zhège rén

王山向你介绍他的朋友,以前你听王山提起过这个人

Wang Shan introduces you to his friend whom he has mentioned before

怎么说

How to say it

Jiàndào nǐ hěn gāoxìng,   cháng tīng Wáng Shān tíqǐ   nǐ.
见到你很高兴，常听王山提起你。
It is a pleasure to meet you. I have heard a lot about you from Wang Shan.

Situation 4   At a Symposium
情景四   在学术讨论会上

Zài xuéshù   tǎolùnhuì shang yùdào   yǐqián de tóngshì
在学术讨论会上遇到以前的同事
You meet a former colleague at a symposium

怎么说

How to say it

Hǎojiǔ   bú jiàn,   zuìjìn máng shénme ne?
好久不见，最近忙什么呢？
I haven't seen you for a while, what have you been up to?

Jìnlái   gōngzuò rúhé? Hái   shùnlì ba?
近来工作如何？还顺利吧？
How is work lately? Is everything going well?

Tóngshì gěi nǐ jièshào tā de péngyou
同事给你介绍他的朋友
A colleague introduces his friends to you

 怎 么 说
How to say it

Xìnghuì, xìnghuì.
幸会，幸会。
It's a pleasure to meet you.

怎 么 回 答
How to reply

Xìnghuì, xìnghuì.
幸会，幸会。
It's a pleasure to meet you.

Tā xiàng nǐ jièshào de shì wèi hěn yǒumíng de jiàoshòu
他向你介绍的是位很有名的教授
If this person is a well-known professor

怎 么 说
How to say it

Jiǔyǎng dàmíng.
久仰大名。
I have heard so much about you.

Jiǔyǎng, jiǔyǎng.
久仰，久仰。
I have heard so much about you.

怎 么 回 答
How to reply

Bù gǎndāng, xìnghuì, xìnghuì.
不敢当，幸会，幸会。
You flatter me. It's a pleasure to meet you.

Nǎlǐ nǎlǐ, xìnghuì, xìnghuì.
哪里哪里，幸会，幸会。
You flatter me. It's a pleasure to meet you.

7

Situation 5　Running into an Acquaintance
情景五　　碰巧遇到熟人

Zài Bōshìdùn pèngqiǎo yùdào nǐ de xiǎoxué tóngxué
在波士顿碰巧遇到你的小学同学
You run into your classmate from primary school at Boston

怎么说

How to say it

Zhème qiǎo, zài zhèr pèngjiàn nǐ le. Wǒ hái yǐwéi shì
这么巧，在这儿碰见你了。我还以为是
shuí ne, dōu kuài rèn bù chūlái le.
谁呢，都快认不出来了。
What a coincidence bumping into you here! I didn't
realize it was you, you look so different.

Zhēn qiǎo a! Méi xiǎngdào huì zài zhèr yùdào nǐ.
真巧啊!没想到会在这儿遇到你。
What a coincidence! I did not expect to see you here.

Tài qiǎo le, wǒmen děi yǒu shí nián méi jiàn le ba, guò de hǎo ma?
太巧了，我们得有十年没见了吧，过得好吗?
What a coincidence! It might have been ten years since we last saw each other.
How have you been?

Rúguǒ yùdào le nǐ bàba de péngyou
如果遇到了你爸爸的朋友
If you meet a friend of your father

How to say it

Wáng bó bo,　zhēn méi xiǎngdào huì zài zhèr pèngdào nín.　Nín
王伯伯，真没想到会在这儿碰到您。您

zuìjìn hǎo ma?
最近好吗？

Uncle Wang, I didn't expect to meet you here. How have you been?

如果年纪较大
Rúguǒ niánjì jiào dà

If older

How to say it

Wáng bóbo,　nín zuìjìn shēntǐ hǎo ma?
王伯伯，您最近身体好吗？

Uncle Wang, How are you?

这是他第一次来波士顿
Zhè shì tā dì yī cì lái Bōshìdùn

If this is his first time to Boston

How to say it

Juéde zhèr zěnmeyàng?　Dōu xíguàn ma?
觉得这儿怎么样？都习惯吗？

How do you like it here? Has everything gone well since you got here?

Zài zhèr hái zhù de guàn ma?
在这儿还住得惯吗？

Are you getting used to the life here?

Yíqiè hái shìyìng ba?
一切还适应吧？

Is everything going well?

什么时候说什么话

WHEN TO SAY WHAT

Yǒu shénme xūyào bāngmáng de dìfang, jǐnguǎn shuō.
有什么需要帮忙的地方，尽管说。

Please let me know if I can be of any help.

Situation 6　An Old Friend Visisting You
情景六　　老朋友来看你

Hǎojiǔ méi jiàn de lǎo péngyou lái kàn nǐ, méiyǒu tíqián tōngzhī nǐ
好久没见的老朋友来看你，没有提前通知你

If an old friend who you
haven't seen for a long time
visits you without telling
you in advance

怎 么 说
How to say it

Nǎ zhèn fēng bǎ nǐ gěi chuīlái le? Nǐ kě shì xīkè.
哪阵风把你给吹来了？你可是稀客。

Hi, what brings you here? It's an honor to have you over today.

Shénme fēng bǎ nǐ chuīlái de? Nǐ kě shì xīkè.
什么风把你吹来的？你可是稀客。

Hi, what brings you here? It's an honor to have you over today.

Xīkè, xī kè, kuài lǐmiàn qǐng.
稀客，稀客，快里面请。

It's an honor to have you over today. Come in, please.

Lesson 2 Appreciation

第二课　感　谢
<small>Gǎnxiè</small>

Situation 1 After Receiving a Birthday Gift
情景一　收到生日礼物后

<small>Péngyou lái cānjiā nǐ de shēngrì wǎnhuì, sònggěi nǐ yí jiàn lǐwù</small>
朋友来参加你的生日晚会，送给你一件礼物

A friend gives you a gift at
your birthday party

How to say it

<small>Xièxie nǐ de lǐwù,   wǒ fēicháng xǐhuan.</small>
谢谢你的礼物，我非常喜欢。
Thank you for your gift. I like it very much.

<small>Xièxie,   ràng nǐ pòfèi le.</small>
谢谢，让你破费了。
Thank you for your gift. You really shouldn't have spent so much.

Qiáo nǐ, láile jiù hǎo, hébì pòfèi ne?

瞧你，来了就好，何必破费呢？

I am happy that you came. You really shouldn't have.

怎么回答

How to reply

Búyòng xiè.

不用谢。

You're welcome.

(Gēn wǒ) kèqi shénme, nǐ xǐhuan jiù hǎo.

(跟我)客气什么，你喜欢就好。

It's nothing. I'm glad you like it.

Situation 2　After a Dinner or Reception
情景二　晚宴或参观接待后

Nǐ qù cānjiā yí gè wǎnhuì, línbié qián duì zhǔrén shuō

你去参加一个晚会，临别前对主人说

What you should say to the host before departing a party

怎么说

How to say it

Xièxie nǐmen quánjiā de rèqíng kuǎndài, gěi nǐmen tiān máfan

谢谢你们全家的热情款待，给你们添麻烦

le.

了。

Thank you to your family for their kind hospitality. I know that I've troubled you.

Wǒmen jīntiān wánr de zhēn gāoxìng, tài gǎnxiè le.

我们今天玩儿得真高兴，太感谢了。

We've had a great time. Thank you so much.

Xièxie nǐmen quánjiā de rèqíng kuǎndài, dǎrǎo le.

谢谢你们全家的热情款待，打扰了。

Thank you to your family for their kind hospitality. (I know that it was) a lot of trouble.

怎么回答
How to reply

Nǐ tài kèqi le, yǐhòu yǒukòngr zài lái.
你太客气了，以后有空儿再来。
You are too polite. You are welcome to drop by anytime.

Kàn nǐ shuō dào nǎr qù le? Zhǐyào dàjiā wánr de jìnxìng jiù hǎo.
看你说到哪儿去了？只要大家玩儿得尽兴就好。
What are you talking about? I am just glad that we had such a good time.

Nǐ zhēnshì tài jiànwài le, zhǐyào dàjiā gāoxìng jiù hǎo.
你真是太见外了，只要大家高兴就好。
You act as if we were strangers. I am just glad that we had such a good time.

Rúguǒ shì dào yí gè gōngsī cānguān
如果是到一个公司参观
What if you visit a company

怎么说
How to say it

Gǎnxiè guì gōngsī de rèqíng jiēdài.
感谢贵公司的热情接待。
Thank you for the kind reception from your esteemed company.

怎么回答
How to reply

Nǎlǐ nǎlǐ, suíshí huānyíng.
哪里哪里，随时欢迎。
Don't mention it. You are welcome anytime.

Nǎlǐ, zhāodài bùzhōu, hái wàng duōduō bāohán.
哪里，招待不周，还望多多包涵。
It was nothing. Please forgive us if there was anything missing.

Situation 3　Thanking a Friend or Professor for His/Her Help
情景三　　感谢朋友或教授帮忙

Qǐng péngyou bāng nǐ mǎi yì běn shū
请 朋 友 帮 你 买 一 本 书

Asking a friend to help you buy a book

How to say it
怎 么 说

Duōxiè le.
多 谢 了。
Thanks a lot.

Xīnkǔ, xīnkǔ.
辛 苦，辛 苦。
Thanks. You've gone through so much trouble.

Xīnkǔ le.
辛 苦 了。
Thanks. You've gone through so much trouble.

Máfan le.
麻 烦 了。
Thanks. (Lit.: I've troubled you.)

Yǒuláo le.
有 劳 了。
Sorry to bother you.

Bàituō le.
拜 托 了。
Thanks for the favor.

Qǐng nǐ de jiàoshòu gěi nǐ xiě yì fēng tuījiàn xìn
请你的教授给你写一封推荐信

Asking your professor to write a letter of recommendation for you

怎 么 说

How to say it

Gěi nín tiān máfan le, zhēn bù hǎoyìsi.
给您添麻烦了，真不好意思。

Sorry for the trouble. I feel bad about it.

Ràng nín shòu lèi le.
让您受累了。

Thanks so much. (Lit.: I've really tired you.)

Ràng nín fèixīn le.
让您费心了。

Thanks so much. (Lit.: I've made you waste your energy.)

Tíqián xièxie nín le, shìhòu yídìng zài lái zhuānmén dàoxiè.
提前谢谢您了，事后一定再来专门道谢。

I want to thank you in advance. After this thing is settled, I'll certainly come back to give my thanks once again.

Rúguǒ nǐ duōcì qǐng zhège rén bāngmáng
如果你多次请这个人帮忙

If it's not the first time you've asked for help from this person

怎 么 说

How to say it

Zǒngshì máfan nín, wǒ xīnli zhēnshì guò yì bú qù.
总是麻烦您，我心里真是过意不去。

I am sorry for always giving you troubles.

Rúguǒ nǐmen zhījiān de guānxi bǐjiào qīnmì
如果你们之间的关系比较亲密

If it's someone you are quite close to

WHEN TO SAY WHAT

How to say it

Wǒ jiù bù gēn nǐ kèqi le.
我就不跟你客气了。
I am sure you know how much I appreciate this. (Lit.: I will not be polite with you.)

How to reply

Bié zhème shuō, jǔ shǒu zhī láo éryǐ.
别这么说，举手之劳而已。
Don't need to be so polite. It's my pleasure. (Lit.: It is only the labor of raising my hand—It is nothing.)

Búbì kèqi, yīnggāi de.
不必客气，应该的。
You're welcome. It's my pleasure. (Lit.: This is something I should do.)

Situation 4　Thanking a Stranger for His/Her Help
情景四　　感谢陌生人的帮助

Nǐ xiàng yí gè mòshēngrén wènlù, tā gàosù nǐ yǐhòu, nǐ yīnggāi
你向一个陌生人问路，她告诉你以后，你应该
After you ask directions from a stranger, and she responds, you should

16

怎么说
How to say it

Xièxie (nín).
谢谢(您)。
Thank you.

Duōxiè nín le.
多谢您了。
Thanks a lot.

Tài gǎnxiè nín le.
太感谢您了。
Thank you very much.

怎么回答
How to reply

Bú kèqi.
不客气。
You're welcome.

Bú xiè.
不谢。
Don't mention it.

Búyòng xiè.
不用谢。
No problem.

Méi shénme.
没什么。
Not at all.

Rúguǒ tā shì nǐ suǒ zhù de bīnguǎn de gōngzuò rényuán,　tā yě kěyǐ
如果她是你所住的宾馆的工作人员，她也可以
If she works in the hotel where you live, she may also

怎么回答
How to reply

Bú kèqi,　hěn gāoxìng wèi nín fúwù.
不客气，很高兴为您服务。
You're welcome. It's my pleasure to serve you.

Búyòng xiè,　hěn róngxìng néng wèi nín xiàoláo.
不用谢，很荣幸能为您效劳。
No problem. I'm honored to serve you.

Méi shénme,　yīnggāi de.
没什么，应该的。
Not at all. It's my pleasure. (Lit.: It is my duty.)

Méi shénme, zhè shì wǒ yīnggāi zuò de.

没什么，这是我应该做的。

Not at all. It's my pleasure. (Lit.: It's what I should do.)

Situation 5　Accepting or Refusing Help
情景五　　接受或谢绝帮助

Nǐ de zìxíngchē huài le, yí wèi tóngxué zhǔdòng tíchū bǎ tā de chē jiègěi nǐ

你的自行车坏了，一位同学主动提出把他的车借给你

Your bicycle is broken, and a classmate offers to lend you his

怎 么 说

How to say it

Xièxie.

谢谢。

Thank you.

Duōxiè.

多谢。

Thanks a lot.

Tài gǎnxiè le.

太感谢了。

Thank you very much.

怎 么 回 答

How to reply

Méi shénme.

没什么。

It's nothing.

Méi shìr.

没事儿。

It's nothing.

Xiǎo shìr, yòngbuzháo xiè.

小事儿，用不着谢。

It's a trifle. Don't even mention it!

18

Zhème diǎnr xiǎo shìr, xiè shénme.
这么点儿小事儿，谢什么。
It's a trifle. Don't even mention it!

Búbì kèqi.
不必客气。
You're very welcome.

Rúguǒ nǐ bù xiǎng jiè
如果你不想借
If you don't want to borrow it

How to say it

Búyòng le, xièxie.
不用了，谢谢。
It's okay, but thanks anyway.

Situation 6 Showing Your Appreciation with a Gift
情景六　　带着礼物感谢别人

Rúguǒ biérén bāngle nǐ yí gè dà máng, nǐ sòng lǐwù biǎoshì gǎnxiè
如果别人帮了你一个大忙，你送礼物表示感谢
If somebody did a big favor for you and you give him a gift to express your gratitude

怎么说
How to say it

Shàngcì de shì, duōkuī le nǐ de bāngzhù, wǒ zhēnshì gǎn
上次的事，多亏了你的帮助，我真是感
jī bú jìn.
激不尽。
I can not thank you enough for your help last time.

Zhè shì wǒ de yìdiǎnr xīnyì, qǐng wùbì shōuxia.
这是我的一点儿心意，请务必收下。
Please accept this small token of my gratitude.

Bāngle wǒ zhème dà de máng, zhēn bù zhī zěnme gǎnxiè cái hǎo, yìdiǎnr xiǎoyìsi,
帮了我这么大的忙，真不知怎么感谢才好，一点儿小意思，
qǐng wùbì shōuxia.
请务必收下。
I don't know how to thank you for this. Please accept this small token of my gratitude.

怎么回答
How to reply

Nǎlǐ, nǎlǐ. Wǒ yě méi zuò shénme.
哪里，哪里。我也没做什么。
It was nothing. I didn't do much.

Nǎr de huà, shuí méi diǎnr nánchu ne?
哪儿的话，谁没点儿难处呢？
It was nothing. We've all had difficult times.

Bié zhème kèqi, hěn gāoxìng wǒ néng bāngdeshàng máng.
别这么客气，很高兴我能帮得上忙。
It was nothing. I'm happy that I could help.

Nǐ tài kèqi le, huànle shuí dōu huì zhème zuò de.
你太客气了，换了谁都会这么做的。
You're so polite. Anyone would have (helped).

Zhème diǎnr xiǎo shìr, xiè shénme.
这么点儿小事儿，谢什么。
It's a trifle. Don't mention it!

Xiǎo shìr éryǐ, hébì pòfèi ne?
小事儿而已，何必破费呢？
It's really just a trifle. You really shouldn't have.

Tài kèqi le, zhēn ràng wǒ shòu zhī yǒu kuì.
太客气了，真让我受之有愧。
(You're) too polite, (it) really gives me qualms to accept it.

Nǐ de hǎoyì wǒ xīnlǐng le, kěshì lǐwù wǒ bù néng shōu.
你的好意我心领了，可是礼物我不能收。
I appreciate your kindness, but I cannot accept this gift.

Rúguǒ nǐmenliǎ de guānxì bǐjiào qīnmì, tā yě kěyǐ
如果你们俩的关系比较亲密，他也可以
If you are very close, he may also

怎么回答
How to reply

Dōu shì péngyou, hái zhème kèqi gànmá?
都是朋友，还这么客气干吗？
We are friends. You really don't have to be so polite.

Shuō zhè huà jiù jiànwài le ba, zánliǎ shuí gēn shuí a?
说这话就见外了吧，咱俩谁跟谁啊？
You act like we are strangers. Don't even mention it.

Qiáo nǐ shuō de, gēn wǒ hái zhème kèqi?
瞧你说的，跟我还这么客气？
What are you talking about? You didn't have to be so polite.

Lesson 3 Apology

第三课 道歉
Dàoqiàn

Situation 1 Being Late for a Date
情景一 约会迟到

Nǐ hé péngyou yuēhuì chídào le
你和朋友约会迟到了
You're late for an appointment with a friend

How to say it

Duìbuqǐ, shízài duìbuqǐ.
对不起，实在对不起。
Sorry, I'm truly sorry.

Bàoqiàn, bàoqiàn.
抱歉，抱歉。
My apologies.

Zhēnshì bàoqiàn.
真是抱歉。
I'm really sorry.

Shízài bù hǎoyìsi, lái wǎn le.
实在不好意思，来晚了。
I'm truly sorry that I'm late.

Duìbuqǐ, hài nǐ děngle zhème jiǔ.
对不起，害你等了这么久。
Sorry for keeping you so long.

Zhēn duìbuzhù, ràng nǐ jiǔděng le.
真对不住，让你久等了。
Pardon me for keeping you waiting so long.

Jiǔděng le, qǐng yuánliàng.
久等了，请原谅。
I've made you wait for so long. Please excuse me.

怎么回答
How to reply

Méi guānxi.
没关系。
No problem.

Bú yàojǐn.
不要紧。
Don't worry about it.

Méi shìr.
没事儿。
It doesn't matter.

Situation 2　Interrupting Someone
情景二　　打扰别人

Qù zhǎo tóngxué jiè shū shí,　tóngxué zhèngzài gēn yí gè péngyou tánhuà
去找同学借书时，同学正在跟一个朋友谈话

When you go to borrow a book from a classmate,
he/she is just then talking with a friend

How to say it

Dǎrǎo yí xiàr.
打扰一下儿。
Sorry to disturb you.

Ná dào shū hòu
拿到书后
You got the book. Before you leave

How to say it

Dǎrǎo le.
打扰了。
Sorry to disturb you.

Máfan nǐ le.
麻烦你了。
I'm very sorry to bother you.

Rúguǒ zhè wèi shì nǐ de lǎoshī
如果这位是你的老师

If the person from whom you borrow the book is your teacher

怎么说
How to say it

Bàoqiàn, gěi nín tiān máfan le.
抱歉，给您添麻烦了。
Sorry to trouble you further.

Zhēn bù hǎoyìsi, dǎrǎo nín le.
真不好意思，打扰您了。
Sorry to disturb you.

Situation 3 After Making a Mistake
情景三   做错了事

Rúguǒ nǐ bù xiǎoxīn nòngdiūle cóng tóngxué nàlǐ jièlái de shū
如果你不小心弄丢了从同学那里借来的书

If you accidentally lost the book you borrowed from your classmate

怎么说
How to say it

Dōu shì wǒ bù xiǎoxīn, wǒ zhēn bù zhīdào gāi zěnme xiàng nǐ
都是我不小心，我真不知道该怎么向你
dàoqiàn cái hǎo.
道歉才好。
I just wasn't careful. I don't know how to apologize
enough.

Dōu guài wǒ yì shí dàyi, wǒ juéde shífēn guò yì bú qù.
都怪我一时大意，我觉得十分过意不去。
It was due to my carelessness. I'm sorry to have caused you so much trouble.

Zhè dōu guài wǒ cūxīn dàyi, tài duìbuqǐ le.
这都怪我粗心大意，太对不起了。
This is all due to my clumsiness. I'm very sorry.

Wǒ gǎndào fēicháng nèijiù, zhēnshi duìbúzhù le.
我感到非常内疚，真是对不住了。
I feel so guilty and I am so sorry.

怎么回答
How to reply

Xiǎo shìr, méi guānxi de.
小事儿，没关系的。
It's nothing. It doesn't matter.

Bú jiù shì yì běn shū ma, méi shìr.
不就是一本书吗，没事儿。
It's just a book. It doesn't matter.

Bié tí zhège le, méi shìr.
别提这个了，没事儿。
It's nothing. Don't mention it.

Xiǎo shìr, búbì guà zài xīnshang.
小事儿，不必挂在心上。
It's nothing. Don't worry about it any more.

Situation 4 After Saying Something Wrong
情景四　说错了话

Nǐ bù xiǎoxīn shuōcuòle huà, duìfāng hěn shēngqì
你不小心说错了话，对方很生气
You've accidentally said something wrong and angered the other party

How to say it

Dōu shì wǒ bù hǎo,　wǒ xiàng nǐ dàoqiàn.
都是我不好，我向你道歉。
It was completely my fault. I must apologize to you.

Wǒ wèi gāngcái de huà xiàng nǐ dàoqiàn,　qiānwàn bié zàiyì.
我为刚才的话向你道歉，千万别在意。
I apologize for what I just said. Please don't take it seriously.

Duìbuqǐ,　wǒ bú shì gùyì de,　qǐng bié jièyì.
对不起，我不是故意的，请别介意。
Sorry, but that wasn't my intention. Please don't take it seriously.

Nǐ dàoqiàn yǐhòu,　zhège rén háishì yǒuxiē bù gāoxìng,　guòle yí duàn shíjiān nǐ yòu
你道歉以后，这个人还是有些不高兴，过了一段时间你又
jiàndàole zhège rén
见到了这个人
Even after your apology, he is still a bit annoyed. After a while you meet him again

How to say it

Shàngcì de shì dōu guài wǒ,　xiàcì dǎsǐ wǒ yě bù gǎn le.
上次的事都怪我，下次打死我也不敢了。
Sorry, it was my fault, but it won't happen again. (Lit.: I wouldn't do it again even if you beat me to death.)

Shàngcì de shì shì wǒ bú duì, xià bù wéi lì.

上次的事是我不对，下不为例。

Sorry, it was my fault, but it won't happen again.

Shàngcì shì wǒ bù hǎo, nín kuānhóng dàliàng, qiānwàn bié gēn wǒ jìjiào.

上次是我不好，您宽宏大量，千万别跟我计较。

Sorry about last time. You are so magnanimous. Please don't hold it against me.

Wǒ zhège rén shuōhuà méi bǎ ménr de, nín bié gēn wǒ yìbān jiànshi.

我这个人说话没把门儿的，您别跟我一般见识。

I always talk so bluntly, so please don't sink to my level.

Rúguǒ zhège rén shì nǐ de zhǎngbèi

如果这个人是你的长辈

If this person is your senior

怎么说
How to say it

"Dàrén bú jì xiǎorén guò", nín jiù yuánliàng wǒ zhè yì huí

"大人不记小人过"，您就原谅我这一回

ba.

吧。

"The greater man does not make note of the lesser man's faults." Please forgive me this time.

Shàngcì de shì hái qǐng nín hǎihán.

上次的事还请您海涵。

Forgive me, and let bygones be bygones.

Dézuì le, qǐng nín duōduō bāohán.

得罪了，请您多多包涵。

I've offended you, please forgive me.

怎么回答
How to reply

Méi shénme, bié zài fàng zài xīnshàng le.

没什么，别再放在心上了。

It's nothing. Don't worry about it anymore.

28

Suàn le,　　nǐ yě bié wǎng xīnli qù le,　　dōu guòqù le.
算了，你也别往心里去了，都过去了。
Forget about it. Don't let it get you down. Let bygones be bygones.

Jì wǎng bú jiù,　　guòqù de jiù ràng tā guòqù ba.
既往不咎，过去的就让它过去吧。
Let's wipe the slate clean. Let bygones be bygones.

Hǎole,　　wǒ zǎo méishìr le.　　Nǐ zhème yì shuō dào ràng wǒ xīnli bù'ān le.
好了，我早没事儿了。你这么一说倒让我心里不安了。
It's fine. There's no problem. What you've said made me uneasy.

Bié zhème shuō,　　yě yǒu wǒ de búshi,　　yīnggāi shì wǒ xiàng nǐ dàoqiàn cái duì.
别这么说，也有我的不是，应该是我向你道歉才对。
Actually, it was partly my fault. I should be the one apologizing to you.

Situation 5　Clarifying a Misunderstanding
情景五　　澄清误会

Yǒu rén wùhuìle nǐ de huà
有人误会了你的话
Someone has misunderstood you

怎么说
How to say it

Bié wùhuì,　　wǒ wánquán méiyǒu zhège yìsi.
别误会，我完全没有这个意思。
Don't take it the wrong way, that's not what I meant at all.

Nǐ duōxīn le, wǒ méiyǒu biéde yìsi.

你多心了，我没有别的意思。

Don't take it the wrong way. I didn't mean anything by it.

Wǒ bú shì nàge yìsi, bié wǎng xīnli qù.

我不是那个意思，别往心里去。

That was not what I meant. Please don't take it seriously.

Rúguǒ yǒu rén wùhuìle biéren, dàn qíshí shì nǐ de cuò

如果有人误会了别人，但其实是你的错

Someone has misunderstood what another person said, but in fact it is your fault

怎么说

How to say it

Zhè shìr dōu yuàn wǒ.

这事儿都怨我。

It's all my fault.

Zhè shìr dōu guài wǒ.

这事儿都怪我。

It is me who should be blamed.

Zhè dōu shì wǒ de búshi, hé tā méiyǒu guānxi.

这都是我的不是，和他没有关系。

This is completely my fault. It has nothing to do with him.

Bié cuòguài tā, zhè jiàn shì dōu shì wǒ bù hǎo.

别错怪他，这件事都是我不好。

Don't blame him. This is all my fault.

Nǐ zhīdào shì zìjǐ wùhuìle biéren yǐhòu, xiàng duìfāng dàoqiàn

你知道是自己误会了别人以后，向对方道歉

You apologize to the person whom you has misunderstood

怎 么 说
How to say it

Bù hǎoyìsi, cuòguài nǐ le.
不好意思，错怪你了。
Sorry I blamed you, but I was wrong (to blame you).

Zhēn duìbuzhù, yuānwang nǐ le.
真对不住，冤枉你了。
Sorry. I did you an injustice.

Shì wǒ bù liǎojiě qíngkuàng, nǐ kě bié fàng zài xīnshang.
是我不了解情况，你可别放在心上。
It's because I didn't know. Please forget about it.

Chúnshǔ wùhuì, bié wǎng xīnli qù.
纯属误会，别往心里去。
It was completely a misunderstanding. Please don't take it seriously.

Situation 6   Accepting a Complaint
情景六   接受投诉

Cāntīng jīnglǐ zài jiēdào tóusù hòu xiàng gùkè dàoqiàn
餐厅经理在接到投诉后向顾客道歉

The manager of a restaurant appologizes to the customer after getting his complaint

怎么说

How to say it

Shízài duìbuqǐ, hái qǐng ní duō yuánliàng.

实在对不起，还请您多原谅。

I'm truly sorry, I beg your forgiveness.

Guài wǒ zhāodāi bùzhōu, qǐng bú yào shēngqì, wǒ xiān gěi nín péi búshi le.

怪我招待不周，请不要生气，我先给您赔不是了。

I'm sorry for the inconvenience. Please don't be angry and let me make it up to you.

Zhēn bàoqiàn, xièxie nín de bǎoguì yìjiàn, jīnhòu wǒmen yídìng zhùyì.

真抱歉，谢谢您的宝贵意见，今后我们一定注意。

My full apologies. Thank you for your valuable advice. We will pay attention to this in the future.

Lesson 4 Invitation

第四课　　邀　请
Yāoqǐng

Situation 1　Inviting a Friend to a Dinner
情景一　　邀请朋友吃饭

Nǐ xiǎng yāoqǐng péngyou zhōumò yìqǐ　chūqù chīfàn
你想邀请朋友周末一起出去吃饭
You want to ask a friend out to a meal this weekend

How to say it

Zhè zhōumò yǒu kòngr ma?　　Yìqǐ　chī dùn fàn　zěnmeyàng?
这周末有空儿吗？一起吃顿饭怎么样？
Do you have time this weekend? How about having a
meal together?

Zhōumò fāngbiàn dehuà,　　wǒmen　yìqǐ　qù chī dùn fàn ba!
周末方便的话，我们一起去吃顿饭吧！
If it's convenient, let's grab a meal this weekend.

33

Yǒu méiyǒu xìngqù zhōumò yìqǐ chī dùn fàn?
有没有兴趣周末一起吃顿饭？
How about having a meal together this weekend?

Zhège zhōumò yǒu shénme ānpái? Xiǎng bù xiǎng yìqǐ chī dùn biànfàn?
这个周末有什么安排？想不想一起吃顿便饭？
Do you have any plans for this coming weekend? Would you like to have a meal together?

Zhōumò yǒu shíjiān yìqǐ chī dùn fàn ma? Wǒ qǐngkè.
周末有时间一起吃顿饭吗？我请客。
If you have time, how about grabbing a bite this weekend? It's my treat.

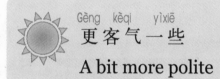
Gèng kèqi yìxiē
更客气一些
A bit more polite

怎 么 说
How to say it

Kěn bù kěn shǎngguāng zhōumò yìqǐ chī dùn fàn?
肯不肯赏光周末一起吃顿饭？
Would you do me the honor of dining out with me?

怎 么 回 答
How to reply

Kěyǐ.
可以。
Ok.

Xíng a.
行啊。
All right.

Chéng a.
成啊。
Sure.

Hǎo a.
好啊。
Sounds good.

Hǎo zhǔyi!
好主意!
Good idea!

Méi wèntí.
没问题。
No problem.

Nà zài hǎo búguò le.
那再好不过了。
Couldn't be better.

Wǒ qiú zhī bù dé a.
我求之不得啊。
All that I wish for.

Dāngrán lèyì fèngpéi.
当然乐意奉陪。
Of course. I'd be happy to.

Jiùshì zài máng, nǐ de miànzi wǒ yě děi gěi a.
就是再忙，你的面子我也得给啊。
I'd make it for you no matter how busy I am.

Rúguǒ nǐ de péngyou bú qù
如果你的朋友不去
If your friend won't go

How to reply

Xièxie nǐ de hǎoyì, búguò zhè cì qù bù liǎo, xiàcì
谢谢你的好意，不过这次去不了，下次
ba.
吧。
That is very kind of you, but I can not make it this time.
How about next time?

Zhēn bù qiǎo, gānghǎo yǒule ānpái, yàobù gǎitiān?
真不巧，刚好有了安排，要不改天？
Bad timing, I already have plans. How about some other time?

Zhè zhōumò kěnéng bú tài fāngbiàn, néng bù néng gǎirì?
这周末可能不太方便，能不能改日？
This weekend is probably not a good time. Could we make it some other day?

Zhēn kěxī, zhènghǎo zuìjìn yǒudiǎnr shìr, yàobù děng yǐhòu yǒu jīhuì zàishuō?
真可惜，正好最近有点儿事儿，要不等以后有机会再说？
That's a shame. I've just now got something on my hands. Can we make it another time?

Situation 2   Inviting a Friend to a Birthday Party
情景二　　邀请朋友参加生日晚会

Yāoqǐng péngyou cānjiā nǐ de shēngrì wǎnhuì
邀请朋友参加你的生日晚会
Inviting friends to your
birthday party

How to say it

Wǒ de shēngrì wǎnhuì dìng zài zhè Zhōuwǔ wǎnshang shí diǎn,
我的生日晚会定在这周五晚上十点，
dàoshí yídìng lái a.
到时一定来啊。
I will be having a birthday party this Friday evening
at 10 p.m.. Please try to make it.

Wǒ xiǎng qǐng nǐ cānjiā wǒ de shēngrì wǎnhuì, zhège Zhōuwǔ wǎnshang yǒu shíjiān ma?
我想请你参加我的生日晚会，这个周五晚上有时间吗？
I want to invite you to my birthday party. Do you have time this Friday evening?

Rúguǒ nǐ de péngyou cānjiā
如果你的朋友参加
If your friend will go

How to reply

(Dàoshí) wǒ yídìng qù.
(到时)我一定去。
I will surely go then.

如果你的朋友没确定
Rúguǒ nǐ de péngyou méi quèdìng

If your friend is not sure if she will go or not

How to reply

Wǒ Jǐnliàng ba.
我尽量吧。
I will try to make it.

Xiànzài shuōbuhǎo, wǒ zhēngqǔ ba.
现在说不好，我争取吧。
I'm not sure yet, but I will try.

如果你的朋友去不了
Rúguǒ nǐ de péngyou qùbuliǎo

If your friend can't make it

How to reply

Zhēn bú còuqiǎo, wǒ yǒu shìr.
真不凑巧，我有事儿。
Oh no, what a shame. I already have plans.

Zhēn kěxī, wǒ gānghǎo yǒule ānpái.
真可惜，我刚好有了安排。
What a shame. I already have plans.

Situation 3   Invitation to a Meeting
情景三   会议邀请

Yāoqǐng yí wèi jiàoshòu cānjiā huìyì
邀请一位教授参加会议
Inviting a professor for a meeting /conference

想 么 说
How to say it

Xīngqīwǔ shàngwǔ wǒmen yǒu gè Zhōngguó wèntí tǎolùnhuì,
星期五上午我们有个中国问题讨论会，
xiǎng (yāo)qǐng nín cānjiā, bù zhī nín yǒu méiyǒu shíjiān?
想(邀)请您参加，不知您有没有时间？
May we have the pleasure of your presence in the symposium on Chinese affairs this Friday morning? Will you have time?

Xīngqīwǔ shàngwǔ wǒmen yǒu gè Zhōngguó wèntí tǎolùnhuì, xīwàng nín néng guānglín zhǐdǎo.
星期五上午我们有个中国问题讨论会，希望您能光临指导。
There will be a symposium on Chinese affairs this Friday morning. We are looking forward to your presence.

Wǒ tèdì lái yāoqǐng nín cānjiā wǒmen Xīngqīwǔ shàngwǔ de Zhōngguó wèntí tǎolùnhuì,
我特地来邀请您参加我们星期五上午的中国问题讨论会，
bù zhī nín fāngbiàn bù fāngbiàn?
不知您方便不方便？
I came here to invite you to the symposium on Chinese affairs this Friday morning. Is that time convenient for you?

Lesson 5 Request

第五课　请　求
Qǐngqiú

Nǐ   jízhe qù fù yí gè yuēhuì,   xiǎng qǐng zǒu zài nǐ qiánmiàn de rén ràng yíxiàr
你急着去赴一个约会，想请走在你前面的人让一下儿

You are in a hurry for an appointment and want to ask someone in front of you to let you pass

How to say it

Duìbuqǐ,   néng ràng yíxiàr   ma?
对不起，能让一下儿吗？
Sorry, could you let me by?

Duìbuqǐ,   kěyǐ ràng .yíxiàr   ma?
对不起，可以让一下儿吗？
Sorry, could you let me by?

Bù hǎoyìsi, ràng yíxiàr xíng ma?
不好意思，让一下儿行吗？
Sorry, could you let me by?

Bù hǎoyìsi, ràng yíxiàr chéng ma?
不好意思，让一下儿成吗？
Sorry, could you let me by?

Láojià, (qǐng) ràng yíxiàr.
劳驾，(请)让一下儿。
Excuse me, please let me by.

Máfan nín ràng wǒ guò yíxiàr hǎo ma?
麻烦您让我过一下儿好吗？
Can I trouble you to let me pass?

Rúguǒ nǐ shì gēn nǐ de péngyou yìqǐ zǒu, tā zǒu de yǒudiǎnr màn, nǐ yǒuxiē
如果你是跟你的朋友一起走，她走得有点儿慢，你有些
zhāojí, xiǎng qǐng tā zǒu de kuài yìdiǎnr
着急，想请她走得快一点儿
If you're in a bit of a hurry, but the friend whom you're walking with is walking a bit too slowly and you want to ask her to walk faster

How to say it

Zánmen zǒu kuài diǎnr, hǎo bù hǎo?
咱们走快点儿，好不好？
Let's walk a bit faster, okay?

Zánmen kuài diǎnr zǒu ba.
咱们快点儿走吧。
Let's walk a bit faster.

Zánmen kuài diǎnr zǒu, xíng ma?
咱们快点儿走，行吗？
Would it be alright if we walked a bit faster?

Zánmen　kěyǐ　zǒu kuài diǎnr　ma?
咱们可以走快点儿吗？
Can we walk a little bit faster?

Zánmen néng bù néng zǒu kuài diǎnr?
咱们能不能走快点儿？
Can we walk a little bit faster?

Yàoshi zhèyàng zǒu, zánmen kǒngpà děi chídào le.
要是这样走，咱们恐怕得迟到了。
If we walk like this, I am afraid we will be late.

Situation 2　Requesting Permission or Help from Friends
情景二　请求朋友允许或帮助

Qù péngyou jiā zuòkè, nǐ xiǎng xīyān, tíqián zhēngqiú yíxiàr zàizuò gèwèi de yìjiàn
去朋友家做客，你想吸烟，提前征求一下儿在座各位的意见
You are a guest in a friend's home. You want to smoke, so you ask your companions what they think

怎么说
How to say it

Wǒ xiǎng chōu gēn yān, nǐ bú jièyì ba?
我想抽根烟，你不介意吧？
I want to have a cigarette. You don't mind, do you?

Wǒ xiǎng chōu gēn yān, nǐ jièyì ma?
我想抽根烟，你介意吗？
Do you mind if I have a cigarette?

Wǒ xiǎng chōu gēn yān, nǐ bù fǎnduì ba?
我想抽根烟，你不反对吧？
I want to have a cigarette. You don't object, do you?

Wǒ xiǎng chōu gēn yān, nǐ méi yìjiàn ba?
我想抽根烟，你没意见吧？
I want to have a cigarette. You don't care, do you?

 Nǐ xiǎng qǐng zhǔrén kāichē sòng nǐ
你想请主人开车送你
You want to ask your host to give you a ride

怎么说
How to say it

Néng máfan nín sòng wǒmen yíxiàr ma?
能麻烦您送我们一下儿吗？
Could we trouble you to drive us home?

Bù zhī nín fāngbiàn bù fāngbiàn sòng wǒmen yíxiàr?
不知您方便不方便送我们一下儿？
Would it be inconvenient to drive us home?

Wǒmen xiǎng máfan nín sòng wǒmen yíxiàr, bù zhī kě bù kěyǐ?
我们想麻烦您送我们一下儿，不知可不可以？
Could we trouble you to drive us home? Is that okay?

Néng láojià nín sòngsong wǒmen ma?
能劳驾您送送我们吗?
Could you do us a favor and drive us home?

Situation 3 Requesting for Your Teacher's Help
情景三 请求老师帮助

Nǐ qù lǎoshī de bàngōngshì wèn wèntí
你去老师的办公室问问题
You go to the teacher's office
to ask a few questions

How to say it

Nín xiànzài yǒu shíjiān ma? Wǒ kěyǐ wèn nín yí gè wèntí ma?
您现在有时间吗?我可以问您一个问题吗?
Have you got a minute? May I ask you a question?

Nín xiànzài fāngbiàn ma? Wǒ yǒu gè wèntí xiǎng qǐngjiào nín.
您现在方便吗?我有个问题想请教您。
Is this a convenient time? I have a question to ask.

Wǒ néng dǎrǎo nín yíxiàr ma?
我能打扰您一下儿吗?
May I bother you for a second?

Néng zhànyòng nín jǐ fēnzhōng shíjiān ma?
能占用您几分钟时间吗？
Can I take a few minutes of your time?

Zhèshí bàngōngshì de diànhuàlíng xiǎng le, lǎoshī huì
这时办公室的电话铃响了，老师会
As you talk, the phone rings. The
teacher should

怎么说
How to say it

Duìbuqǐ, wǒ jiē yíxiàr diànhuà.
对不起，我接一下儿电话。
Excuse me, I need to take this call.

Qǐng shāoděng.
请稍等。
Just a moment, please.

Qǐng shāoděng yíxiàr.
请稍等一下儿。
Please hold on for a moment.

Lesson 6 Promise

第六课　答应、许诺
Dāyìng、xǔnuò

Situation 1　Accepting a Party Invitation
情景一　　接受晚会邀请

Péngyou yāoqǐng nǐ cānjiā Shèngdànjié de wǎnhuì, rúguǒ nǐ qù
朋友邀请你参加圣诞节的晚会，如果你去

A friend invites you to a Christmas party. If you will go

怎么回答

How to reply

Tài hǎo le! Wǒ (dào shíhou) yídìng qù.
太好了! 我(到时候)一定去。

Great! I'll be there for sure.

Rúguǒ nǐ hěn yǒu kěnéng cānjiā, dàn bù wánquán quèdìng
如果你很有可能参加，但不完全确定

Most likely you can make it, but you are not positive

怎么回答

How to reply

Hǎode, zhǐyào yǒu shíjiān wǒ yídìng cānjiā.
好的，只要有时间我一定参加。

Okay. If I have time, I'll surely be there.

Tài gǎnxiè le, rúguǒ chōu de chū shíjiān wǒ yídìng qù.
太感谢了，如果抽得出时间我一定去。

I really appreciate it. I will definitely come if I can find the time.

什么时候说什么话

WHEN TO SAY WHAT

Hǎo, yàoshi méiyǒu shìr wǒ yídìng qù.
好，要是没有事儿我一定去。
Sounds good! I will definitely come if I'm not busy with anything else.

Hǎo, bù chū yìwài dehuà, wǒ yídìng qù.
好，不出意外的话，我一定去。
Okay. I'll be there as long as nothing urgent comes up.

Rúguǒ nǐ méi quèdìng
如果你没确定
If you are not sure whether you will go or not

怎么回答
How to reply

Wǒ Jǐnliàng ba.
我尽量吧。
I'll try to make it.

Xiànzài shuōbuhǎo, wǒ zhēngqǔ ba.
现在说不好，我争取吧。
I'm not sure yet, but I will try.

Xiànzài shuōbuhǎo, yàobù dàoshíhou zàishuō?
现在说不好，要不到时候再说？
I'm not sure yet. Why don't we talk about it later?

Situation 2   Agreeing to Someone's Request
情景二　　　答应别人的请求

Nǐ yào qù chāoshì, tóngwū xiǎng qǐng nǐ bāng tā shāo xiē dōngxi huílai
你要去超市，同屋想请你帮她捎些东西回来
You are going to the supermarket, so your roommate asks you to bring back some groceries for her

怎么回答
How to reply

Xíng/Chéng.
行/成。
Sure.

(Dāngrán) méi wèntí.
(当然)没问题。
(Of course,) no problem.

(Dāngrán) kěyǐ.
(当然)可以。
Yes (of course).

Situation 3 Promising to Help Someone or Giving an Open-Ended Response
情景三 许诺帮助别人或回答留有余地

Yí gè péngyou dǎsuàn qù nǐ de lǎojiā lǚxíng, qǐng nǐ bāngmáng zhǎo zhùchù
一个朋友打算去你的老家旅行，请你帮忙找住处
A friend wants to travel to your hometown and wants you to help her find a place to stay

怎么回答
How to reply

Zhè jiàn shì wǒ yídìng huì fàng zài xīnshang de.
这件事我一定会放在心上的。
I'll be sure to attend to this matter.

Fàngxīn ba, wǒ huì jǐnkuài gěi nǐ dáfù.
放心吧，我会尽快给你答复。
Don't worry. I will get back to you as soon as possible.

Zhè jiàn shì bāo zài wǒ shēnshang le.
这件事包在我身上了。
I'll take care of it.

Méi wèntí,　　nǐ jiù jìng hòu jiāyīn ba.

没问题，你就静候佳音吧。

No problem. Please just sit back and wait for the good news.

Rúguǒ nǐ bǎwò shízú,　　érqiě shuāngfāng guānxì bǐjiào jìn

如果你把握十足，而且双方关系比较近

If you are very sure about it and you are close friends

怎么回答

How to reply

Xiǎo shì yì zhuāng.

小事一桩。

A piece of cake.

Xiǎo cài yì dié.

小菜一碟。

A piece of cake.

Nǐ bù néng kěndìng,　　xiǎng liú yǒu yúdì

你不能肯定，想留有余地

You are not 100% sure and you want to leave yourself some room to change your mind

怎么回答

How to reply

Zhè jiàn shì wǒ méi shénme bǎwò,　　dàn wǒ huì jìnlì de.

这件事我没什么把握，但我会尽力的。

I don't have a firm grasp of the situation, but I will try my best.

Wǒ bǎwò bú dà,　　zhǐnéng shìshi kàn.

我把握不大，只能试试看。

I'm not sure. I can try though.

Kǒngpà bú tài róngyì,　　wǒ jìnlì ba.

恐怕不太容易，我尽力吧。

I'm afraid it's not so easy. I will try it anyway.

48

Situation 4　Making an Appointment
情景四　　敲定约会

Rúguǒ   nǐ yuē péngyou zhōumò qù huáxuě,   yuēdìng hǎo shíjiān hé dìdiǎn hòu,   nǐ quèrèn
如果你约朋友周末去滑雪，约定好时间和地点后，你确认
You want to ask your friend to go skiing during the weekend. After
deciding the time and place, you confirm the appointment

怎么说
How to say it

Hǎo,   jiù zhème shuō dìng le,   zhōuliù xiàwǔ liǎng diǎn Hāfó
好，就这么说定了，周六下午两点哈佛
guǎngchǎng jiàn.
广场见。

Good! It's all set. See you on Saturday at 2 p.m. in Harvard Square.

Hǎo,   zhōuliù   xiàwǔ liǎng diǎn   Hāfó guǎngchǎng bú jiàn bú sàn.
好，周六下午两点哈佛广场不见不散。
Good. It's a deal then. See you on Saturday at 2 p.m. in Harvard Square.

Situation 5　Bet
情景五　　打赌

Nǐ gēn péngyou dǎdǔ,   shuí shūle jiù qǐng duìfāng kàn diànyǐng,   juédìngle . yǐhòu shuāngfāng quèrèn
你跟朋友打赌，谁输了就请对方看电影，决定了以后双方确认
You have made a bet with a friend
and the loser will treat the winner to a
movie. You confirm it after the decision
has been made

什么时候说什么话
WHEN TO SAY WHAT

Yì yán wéi dìng.
一言为定。
A deal is a deal.

Jūnzǐ yì yán, sìmǎ nán zhuī.
君子一言，驷马难追。
You've got my word. (My word is my honor.)

Wǒ shuōdào zuòdào, jué bù shíyán.
我说到做到，决不食言。
I promise, and I never go back on my word.

Situation 6　Self-Criticism and Promising
情景六　　检讨及保证

Nǐ cānjiā héchàngtuán de páiliàn chídào le, dàjiā děngle nǐ hěn cháng shíjiān, dàoqiàn
你参加合唱团的排练迟到了，大家等了你很长时间，道歉
yǐhòu nǐ duì dàjiā bǎozhèng
以后你对大家保证

You are late for the glee club rehearsal and kept everyone waiting for a long time. After apologizing you promise

Wǒ xiàcì yídìng zhùyì.

我下次一定注意。

I will mind it next time.

Xiàcì yídìng bú huì le.

下次一定不会了。

This won't happen next time.

Yídìng bú huì yǒu xiàcì le.

一定不会有下次了。

It won't happen again.

Lesson 7　Refusal

第七课　拒 绝
Jùjué

Situation 1　Refusing a Party Invitation
情景一　　谢绝晚会邀请

Péngyou yāoqǐng nǐ cānjiā tā de wǎnhuì, nǐ xièjué
朋友邀请你参加他的晚会，你谢绝
Your friend invites you to attend his party, you decline

怎么说

How to say it

Shízài bù hǎoyìsi, wǒ yǐjīng lìng yǒu ānpāi le.
实在不好意思，我已经另有安排了。
I'm sorry, but I've already got plans.

Zhēn bù qiǎo, wǒ yǐjīng lìng yǒu ānpāi le, xiàcì ba.
真不巧，我已经另有安排了，下次吧。
Too bad. I've already got plans. How about next time?

Nǐ de hǎoyì wǒ xīnlǐng le, kěshì shízài méi shíjiān.
你的好意我心领了，可是实在没时间。
I appreciate your kindness, but I really don't have time.

Xiànzài shuōbuhǎo, huítóu zàishuō ba.
现在说不好，回头再说吧。
I am not sure right now. Let's talk about it later.

Wǒ xiànzài méifǎ gěi nǐ yí gè quèdìng de huídá, yàobù dào shíhou

我现在没法给你一个确定的回答，要不到时候

zàishuō ba.

再说吧。

I can't give you a definite answer right now. We will see.

Péngyou jiàn nǐ yóuyù, jìxù quànshuō, nǐ zhíjiē jùjué

朋友见你犹豫，继续劝说，你直接拒绝

Your friend sees you hesitate and so continues to try to persuade you. You decline directly

怎么说

How to say it

Shuō shízài de, zhēnde bù xíng.

说实在的，真的不行。

To be honest, I really can't.

Duìbuzhù le, wǒ zhēn qù bù liǎo.

对不住了，我真去不了。

I'm so sorry that I really can't make it.

Zhēn bàoqiàn, wǒ shízài chōu bù chū shēn lái.

真抱歉，我实在抽不出身来。

I'm so sorry that I really can't make it.(Lit.: I really have no time.)

Péngyou zhōngyú fàngqì le

朋友终于放弃了

Your friend finally gives up

怎么说

How to say it

Hǎoba,　　jiù dàng wǒ méi shuō ba.
好吧，就当我没说吧。
Okay. Pretend I didn't say anything.

Suànle,　　nǐ kànzhe bàn ba.
算了，你看着办吧。
Forget about it. Do as you see fit.

Nǐ néng lái jiù lái,　　bù néng lái jiù suànle ba.
你能来就来，不能来就算了吧。
Whatever, it's up to you.

Situation 2　Unable to Help
情景二　　帮不上忙

Péngyou ràng nǐ bāng tā zhǎo fèn gōngzuò,　　nǐ bāng bú shàng máng
朋友让你帮她找份工作，你帮不上忙
A friend asks you to help find her a job. You are unable to help

怎么说

How to say it

Wǒ　xīwàng néng bāngshàng nǐ de máng,　　dàn wǒ zhēn méi　bànfǎ.
我希望能帮上你的忙，但我真没办法。
I wish I could help, but I really can't.

Zhè jiàn shì wǒ　kǒngpà bāng bú shàng shénme máng,　　yàobù nǐ zài zhǎo biéren
这件事我恐怕帮不上什么忙，要不你再找别人
wènwen?
问问？
I am afraid that I can't help you. Can you ask some one else?

Duìbuqǐ,　　　zhè jiàn shì wǒ kǒngpà yāo ràng nǐ　shīwàng le.
对不起，这件事我恐怕要让你失望了。
Sorry, I'm afraid I have to disappoint you.

Bàoqiàn,　　wǒ shì xīn yǒu yú ér　lì bù zú a.
抱歉，我是心有余而力不足啊。
Sorry, I'd like to, but I am unable.

Duìbuzhù　le,　　wǒ zhēn shì　ài　mò néng zhù a.
对不住了，我真是爱莫能助啊。
Sorry, I really want to help, but there is nothing I can do.

Duìbuzhù　le,　　wǒ wú néng wéi lì　a.
对不住了，我无能为力啊。
Sorry, but there is nothing I can do.

Nǐ　bié　gēn wǒ　kāi wánxiào le,　　wǒ nǎr　yǒu　nàme　dà　běnshi a?
你别跟我开玩笑了，我哪儿有那么大本事啊？
Are you kidding me? Do I look like a big shot to you? (Informal, to the person you are very familiar)

Méi shìr,　　　bù xíng jiù　suànle.
没事儿，不行就算了。
It's okay . Just forget about it .

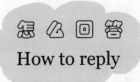

怎么回答
How to reply

Shì　zhèyàng a,　　　duìbuqǐ,　　wǒ bú tài liǎojiě qíngkuàng.
是这样啊，对不起，我不太了解情况。
Oh, if that is the case. Sorry, I didn't know that that was the case.

Méi guānxi, gěi nǐ tiān máfan le, wǒ zìjǐ zài xiǎngxiang bànfǎ.
没关系，给你添麻烦了，我自己再想想办法。
It's alright. Sorry to have troubled you. I will try to find another way.

Situation 3 Refusing Someone's Inquiry
情景三   拒绝别人的询问

Péngyou tīngshuō nǐ de nǚpéngyou hé nǐ fēnshǒu le, xiàng nǐ xúnwèn qíngkuàng, nǐ bù xiǎng
朋友听说你的女朋友和你分手了，向你询问情况，你不想

duō tán
多谈

A friend has learned that your girlfriend just broke up with you and she wants to ask you about the details, but you don't want to talk about it

How to say it

Zhè jiàn shì yí jù liǎng jù shuōbuqīng, háishì suànle ba.
这件事一句两句说不清，还是算了吧。
It's hard to explain in a few words. Forget about it.

Shuō lái huà cháng.
说来话长。
It's a long story.

Yì yán nán jìn, háishì tán diǎnr biéde ba.
一言难尽，还是谈点儿别的吧。
It's a long story. Let's talk about something else.

Situation 4　Politely Refusing to Stay
情景四　　谢绝主人的挽留

Nǐ qù péngyou jiā wánr, línbié qián péngyou liú nǐ zài jiā chīfàn, nǐ xièjué
你去朋友家玩儿，临别前朋友留你在家吃饭，你谢绝

You go to your friend's house and before you leave, he/she asks you to stay for dinner. You decline

How to say it

Duō xiè, bù le, yǐhòu yǒu jīhuì ba.
多谢，不了，以后有机会吧。
No, thanks. Some other time.

Rúguǒ péngyou tíchū sòng nǐ huíjiā, nǐ xiè jué
如果朋友提出送你回家，你谢绝

If this friend offers to accompany you home, you decline

How to say it

Xièxie, búyòng le.
谢谢，不用了。
No, thanks, there's no need.

Xièxie, búbì le.
谢谢，不必了。
No, thanks, it's not necessary.

Nǐ de hǎoyì wǒ xīnlǐng le, bù máfan le.
你的好意我心领了，不麻烦了。
No, thanks. But I appreciate your kindness.

Lesson 8 Inquiry

第八课 询问

Xúnwèn

Situation 1 At the Airport When the Flight Is Delayed
情景一   在机场航班晚点

Yí gè hǎo péngyou lái kàn nǐ, nǐ qù jīchǎng jiē tā. Nǐ xiǎng wèn jīchǎng fúwùtái nǐ péngyou
一个好朋友来看你，你去机场接他。你想问机场服务台你朋友

suǒ chéngzuò de bānjī shénme shíhou dàodá
所乘坐的班机什么时候到达

You are at the airport to pick up a good friend of yours and you want to ask the clerk at the information desk when your friend's flight will arrive

怎么说
How to say it

Qǐngwèn,   cóng Bōshìdùn lái de   UA188   cì hángbān
请问，从波士顿来的UA188次航班

shénme shíhou dào?
什么时候到？

Excuse me, when will UA flight 188 from Boston arrive?

Qǐngwèn, nín zhī bù zhīdào cóng Bōshìdùn lái de UA188 cì hángbān shénme shíhou dào?
请问，您知不知道从波士顿来的UA188次航班什么时候到？
Excuse me, do you know when UA flight 188 from Boston will arrive?

Duìbuqǐ, wǒ xiǎng dǎting yíxiàr cóng Bōshìdùn lái de UA188 cì hángbān shénme
对不起，我想打听一下儿从波士顿来的UA188次航班什么
shíhou dào.
时候到。
Excuse me, I'd like to know when UA flight 188 from Boston will arrive.

Máfan nín, wǒ xiǎng wèn yíxiàr cóng Bōshìdùn lái de UA188 cì hángbān shénme shíhou dào.
麻烦您，我想问一下儿从波士顿来的UA188次航班什么时候到。
Pardon me. I'd like to ask when UA flight 188 from Boston will arrive.

Fēijī wǎndiǎn le. Nǐ xiàng qítā jiējī de rén xúnwèn yuányīn
飞机晚点了。你向其他接机的人询问原因
The airplane is delayed, so you ask someone else there waiting if they know what the reason is

怎么说
How to say it

Qǐngwèn, UA188 cì hángbān wèi shénme / zěnme dào
请问，UA188次航班为什么/怎么到
xiànzài hái méi dào?
现在还没到？
Excuse me, do you know why UA flight 188 hasn't arrived yet?

Qǐngwèn, UA188 cì hángbān dào xiànzài hái méi dào, (shì bú shì) fāshēngle shénme shì?
请问，UA188次航班到现在还没到，(是不是)发生了什么事？
Excuse me, UA flight 188 hasn't arrived yet. Did something go wrong?

Qǐngwèn,　　UA188　cì hángbān dào xiànzài hái
请问，UA188次航班到现在还
méi dào,　(nín zhī bù zhīdào) shì zěnme huí shì
没到，(您知不知道)是怎么回事
a?
啊？
Excuse me, UA flight 188 hasn't arrived yet.
(Do you know) what happened?

(Gēn nín dǎtīng　yíxiàr,)　　UA188　cì hángbān dào xiànzài hái méi dào,　nín zhīdào shì
(跟您打听一下儿,) UA188次航班到现在还没到，您知道是
zěnme huí shì ma?
怎么回事吗？
UA flight 188 hasn't arrived yet. Do you know what happened?

怎么回答
How to reply

Kěnéng shì tiānqì de yuányīn ba,　jùtǐ qíngkuàng hái bú
可能是天气的原因吧，具体情况还不
tài qīngchu.
太清楚。
Maybe it's because of the weather. I'm not sure about
the specifics.

Tīngshuō shì tiānqì de yuányīn,　qítā de qíngkuàng wǒ yě bú tài qīngchu.
听说是天气的原因，其他的情况我也不太清楚。
I heard it's because of the weather. I'm not clear on much beyond this, either.

Rúguǒ bèi xúnwèn zhě shénme yě bù zhīdào
如果被询问者什么也不知道
If the person whom you ask doesn't know

怎么回答
How to reply

Duìbuqǐ, wǒ yě bù zhīdào.
对不起，我也不知道。
Sorry, I don't know either.

Bù hǎoyìsi, wǒ yě bú tài qīngchu.
不好意思，我也不太清楚。
Sorry, I'm not sure either.

Wǒ bú tài qīngchu, (yàobù) nín zài wènwen biéren ba.
我不太清楚，(要不)您再问问别人吧。
I'm not sure. Maybe you should ask someone else.

Situation 2　Picking up a Friend at the Airport
情景二　　在机场接到朋友

Nǐ zhōngyú zài jīchǎng jiàndàole péngyou
你终于在机场见到了朋友
You finally meet your friend at the airport

想 么 说
How to say it

Yílù   xīnkǔ le,   gǎnjué zěnmeyàng? Yídìng lèile ba?
一路辛苦了，感觉怎么样？一定累了吧？
What a trip, how are you feeling? You must be pretty tired.

Lǔtú   hái suàn shùnlì ba?
旅途还算顺利吧？
Did you have a good trip?

Nǐ wèn tā shì xiān qù fàndiàn chīfàn háishì xiān qù lǔguǎn xiūxi
你问他是先去饭店吃饭还是先去旅馆休息
You ask him if he would prefer to go to a restaurant or to the hotel for a rest

想 么 说
How to say it

Nǐ xiǎng xiān qù chīfàn háishì xiān qù lǔguǎn xiūxi yíxiàr?
你想先去吃饭还是先去旅馆休息一下儿？
What shall we do first? Grab a bite to eat or have a rest at the hotel?

Zánmen xiān qù chī diǎnr fàn, zěnmeyàng?
咱们先去吃点儿饭, 怎么样？
How about eating first?

Zánmen xiān qù chīfàn, hǎo bù hǎo? Nǐ xiǎng xiān qù lǔguǎn ma?
咱们先去吃饭, 好不好？你想先去旅馆吗？
How about we eat first, or would you prefer to go to the hotel?

Situation 3　Inquiring about a Third Person Who Is Not Present
情景三　询问不在场的第三人的情况

Chīfàn de shíhòu nǐ hé péngyou liáotiānr, nǐmen tánqǐ nǐ gāozhōng shí xǐhuan de yí gè
吃饭的时候你和朋友聊天儿，你们谈起你高中时喜欢的一个

nǚháizi Liú Méi, nǐ tīngshuō tā yǒule nánpéngyou, xiǎng zhèngshí yíxiàr
女孩子刘梅，你听说她有了男朋友，想证实一下儿

You're chatting with your friend over a meal about a girl named Liu Mei whom you liked during high school. After hearing that she has a boyfriend now, you want to confirm it

怎么说
How to say it

Wǒ xiǎng wèn nǐ yí jiàn shìr. Tīngshuō Liú Méi yǒule
我想问你一件事儿。听说刘梅有了

nánpéngyou, shì zhēnde ma?
男朋友，是真的吗？

I have a question for you. I heard that Liu Mei has a boyfriend now. Is that true?

Nǐ tīng méi tīngshuō Liú Méi yǒule nánpéngyou?
你听没听说刘梅有了男朋友？

Have you heard that Liu Mei has a boyfriend now?

Nǐ zhīdào ma? Liú Méi yǒu nánpéngyou le.
你知道吗？刘梅有男朋友了。

Did you know that Liu Mei has a boyfriend now?

64

Rúguǒ nǐ de péngyou kěndìng zhège xiāoxi
如果你的朋友肯定这个消息

If your friend confirms it

怎么回答

How to reply

Shì a, wǒ hái yǐwéi nǐ zǎo zhīdàole ne!
是啊,我还以为你早知道了呢!

Yeah. I thought you'd known about it for a long time.

Wǒ yě tīngshuō le.
我也听说了。

I heard about it too.

Rúguǒ tā yě bú tài kěndìng
如果他也不太肯定

If he is not quite sure

怎么回答

How to reply

Hǎoxiàng shì.
好像是。

It seems so.

Kěnéng ba.
可能吧。

It's possible.

Rúguǒ tā fǒudìng zhège xiāoxi
如果他否定这个消息

If he denies it

怎么回答

How to reply

Bú huì ba, méi tīngshuō a.
不会吧,没听说啊。

No way. I haven't heard.

Bù kěnéng.

不可能。

Impossible.

Nǐ xiǎng péngyou yào Liú Méi de diànhuà hàomǎ, tā suīrán zhīdào, dànshì dāyìngguo Liú Méi

你向朋友要刘梅的电话号码，他虽然知道，但是答应过刘梅

bù suíbiàn gàosù biéren

不随便告诉别人

You ask your friend for Liu Mei's phone number and even though he knows it, he promised Liu Mei that he wouldn't tell anyone else

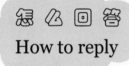

怎么回答

How to reply

Duìbuqǐ, wǒ kǒngpà bù fāngbiàn shuō, wǒ yǐjīng

对不起，我恐怕不方便说，我已经

dāyìng Liú Méi bú gàosù biéren le.

答应刘梅不告诉别人了。

Sorry. I'm afraid I can't tell you. I promised Liu Mei that I wouldn't tell anyone.

Duìbuqǐ, wǒ dāyìngguo Liú Méi yào tì tā bǎomì de. Tā hǎoxiàng bú tài xiǎng ràng tài

对不起，我答应过刘梅要替她保密的。她好像不太想让太

duō rén zhīdào.

多人知道。

Sorry. I promised her that I would keep it secret. It seems like she doesn't want too many people to know it.

Lesson 9 Approval

第九课　赞同 _{Zàntóng}

Situation 1   Talking about a Film with Friends
情景一　　和朋友讨论电影

Nǐ zài hé péngyoumen yìqǐ tǎolùn diànyǐng 《Match Point》
你在和朋友们一起讨论电影《Match Point》

You're talking about the movie *Match Point*

Yí gè péngyou wèn: "Zhè bù diànyǐng shì zài Lúndūn pāi de ba?"
一个朋友问：“这部电影是在伦敦拍的吧？”

A friend asks: "Was this movie filmed in London?"

怎么回答
How to reply

Shì (a).
是(啊)。
Yes.

Duì (a).
对(啊)。
Right.

Méi cuò.
没错。
Indeed.

Lìngwài yí gè péngyou rènwéi zhè shì yí bù fēicháng chūsè de diànyǐng, nǐ biǎoshì tóngyì
另外一个朋友认为这是一部非常出色的电影，你表示同意
You agree with a friend who thinks it's an excellent movie

怎 么 说
How to say it

Wǒ tóngyì.
我同意。
I agree.

Shì bú cuò.
是不错。
Yes, it surely was.

Tài duì le.
太对了。
You're totally right.

Kěbu?
可不？
Isn't it?

Kěbúshì ma?
可不是吗？
Isn't it though?

Díquè rúcǐ.
的确如此。
Certainly.

Yīngxióng suǒ jiàn lüè tóng.
英雄所见略同。
Great minds think alike.

68

Rúguǒ nǐ bù wánquán tóngyì
如果你不完全同意
If you don't agree completely

How to say it

Búcuò shì búcuò, búguò ...
不错是不错，不过……
That's true, but...

Situation 2　Approving of Friends' Suggestions
情景二　　同意朋友的建议

Yí gè péngyou jiànyì nǐmen jǐ gè hǎopéngyou yìqǐ zài qù diànyǐngyuàn kàn yí cì.
一个朋友建议你们几个好朋友一起再去电影院看一次，

nǐ juéde zhè shì gè hǎo zhǔyi
你觉得这是个好主意

A friend suggests that you should all go to the cinema to watch it together one more time and you think it's a good idea

How to say it

Tài hǎo le!
太好了!
Excellent!

Nà zài hǎo bú guò le.

那再好不过了。

That couldn't be better.

Hǎo zhǔyi!

好主意!

Good idea!

Hǎo jí le, wǒ jǔ shuāngshǒu zànchéng.

好极了，我举双手赞成。

Super. I couldn't agree more.

Rúguǒ nǐ de xiǎngfǎ hé tā de bù móu ér hé

如果你的想法和他的不谋而合

If you think exactly the same way he does

怎么说

How to say it

Zánmen xiǎng dào yíkuàir qù le.

咱们想到一块儿去了。

We have the same train of thought.

(Nǐ shuō de) zhèng zhòng wǒ xiàhuái.

(你说的)正中我下怀。

(What you said) is precisely what I hoped for.

Dàjiā yuēhǎo de kàn diànyǐng de shíjiān duì nǐ láishuō bú tài fāngbiàn, nǐ xiǎng huàn ge

大家约好的看电影的时间对你来说不太方便，你想换个

shíjiān, kěxī méiyǒu chénggōng, nǐ zhǐhǎo tuǒxié

时间，可惜没有成功，你只好妥协

The time that your friends agreed on to watch the movie together doesn't work for you. You tried to persuade them to change the time, but to no avail. In the end you agree to compromise

怎 么 说
How to say it

Hǎo ba, nà jiù zhèyàng ba.
好吧，那就这样吧。
Okay then, I guess it has to be this way.

Jìrán méi bànfǎ, zhǐhǎo zhèyàng le.
既然没办法，只好这样了。
I guess it has to be this way.

Lesson 10　Denial

第十课　否定、否认
Fǒudìng、 fǒu rèn

Situation 1　Denying a Saying
情景一　否定一种说法

Nǐ gēn yí gè péngyou liáotiānr,　tā tīngshuō "Zhōngguórén méiyǒu qián mǎi qìchē,　suǒyǒu
你跟一个朋友聊天儿，他听说"中国人没有钱买汽车，所有

rén dōu qí zìxíngchē",　xiàng nǐ quèrèn zhè jù huà de zhēnshíxìng
人都骑自行车"，向你确认这句话的真实性

You are chatting with a friend who's heard that because Chinese people can't afford cars, they all ride bicycles. He turns to you to confirm that

怎么回答
How to reply

Bú shì ba?
不是吧？
Really?

Cái bú shì ne.
才不是呢。
It's certainly not true.

Shuí shuō de?
谁说的？
Says who ?

72

Gēnběn bú shì zhème huí shìr
根本不是这么回事儿。
That's totally not true.

Chúncuì xiāshuō.
纯粹瞎说。
That's complete nonsense.

Jù wǒ suǒ zhī, shìshí bìngfēi rúcǐ.
据我所知，事实并非如此。
According to my knowledge, that's not true.

Nǐ de péngyou yìshídào zìjǐ de huà bú zhèngquè
你的朋友意识到自己的话不正确
Your friend realizes that he was wrong

How to say it

Yuánlái shì zhème huí shìr.
原来是这么回事儿。
So that's how it is!

Yuánlái shì zhèyàng a.
原来是这样啊。
So that's how it is!

Yuánlái rúcǐ.
原来如此。
So that is the way it is.

WHEN TO SAY WHAT

Situation 2　Denying Oneself Being Involved
情景二　　否认一件跟自己有关的事

Yí gè péngyou tīngshuō nǐ jiéhūn le, xiǎng yào gēn nǐ quèrèn cǐ shì, rúguǒ bú shì zhēn de
一个朋友听说你结婚了，想要跟你确认此事，如果不是真的
A friend has heard you've gotten married and he wants to confirm if it is true. If it is not true

怎 么 说
How to say it

Bié kāi wánxiào le.
别开玩笑了。
Don't joke with me.

Bié dòu le.
别逗了。
Don't tease me.

Bié ná wǒ xún kāixīn le.
别拿我寻开心了。
Don't make fun of me.

Gēnběn shì méi yǐngr de shìr.
根本是没影儿的事儿。
That is totally baseless.

Nǎr yǒu zhèzhǒng shì?
哪儿有这种事？
I've never heard of such a thing.

74

Nǎr gēn nǎr a?
哪儿跟哪儿啊？
What are you talking about?

Nǐ hěn shēngqì
你很生气
You become angry

怎么说
How to say it

Zhè chún shǔ niēzào.
这纯属捏造。
This is purely fabricated.

Zhēn shì wú zhōng shēng yǒu.
真是无中生有。
That's totally made up.

Shuí zào de yáo?
谁造的谣？
Who made up this rumor？

Situation 3　Holding Negative Opinion
情景三　提出反对意见

Zài yí cì tǎolùnhuì shang, yǒu rén tíchū yí gè guāndiǎn, nǐ wěiwǎn de biǎoshì bù tóngyì
在一次讨论会上，有人提出一个观点，你委婉地表示不同意
At a symposium, someone proposes an opinion, you express your disagreement indirectly

75

怎 么 说
How to say it

Nǐ shuō de bìngfēi méiyǒu dàolǐ, dànshì kǒngpà tài

你说的并非没有道理，但是恐怕太

juéduì le ba?

绝对了吧？

What you said is not completely unreasonable, but it may be a bit extreme.

Nǐ shuō de yě bù wú dàolǐ, kě wèimiǎn yǒuxiē piànmiàn ba?

你说的也不无道理，可未免有些片面吧？

Your argument is not without merit, but perhaps it's a bit biased.

Zhè zhǒng guāndiǎn kǒngpà zhídé shāngquè.

这种观点恐怕值得商榷。

Maybe we should discuss this point further.

Rúguǒ nǐ qiángliè fǎnduì

如果你强烈反对

If you oppose strongly

怎 么 说
How to say it

Bú jiàndé ba?

不见得吧？

I don't think so.

Wǒ kàn bù yídìng.

我看不一定。

That's not exactly true.

Zhè zhǒng kànfǎ gēnběn bú duì.

这种看法根本不对。

That's completely wrong.

Zhè háo wú dàolǐ kě yán.
这毫无道理可言。
This doesn't make any sense.

Wǒ háishì bǎoliú zìjǐ de guāndiǎn.
我还是保留自己的观点。
I hold my own opinion.

Zhè zhǒng guāndiǎn wǒ kǒngpà wúfǎ jiēshòu.
这种观点我恐怕无法接受。
I'm afraid that I just can't accept this point of view.

Nǐ de guāndiǎn wǒ shízài bù néng gōngwéi.
你的观点我实在不能恭维。
I don't agree with you.

Nǐ de kànfǎ wǒ bù gǎn gǒutóng.
你的看法我不敢苟同。
I dare not agree with you.

Duìfāng juéde nǐ méiyǒu wánquán lǐjiě tā de guāndiǎn
对方觉得你没有完全理解他的观点
What if he thinks you didn't understand him completely

怎么说
How to say it

Kěnéng shì wǒ gāngcái méi shuō qīngchu, dàn wǒ bú shì
可能是我刚才没说清楚，但我不是
zhège yìsi.
这个意思。
Maybe I wasn't clear, that's not what I meant.

Nǐ kǒngpà wùhuì wǒ de yìsi le.
你恐怕误会我的意思了。
I am afraid that you have misunderstood me.

Zhè wèimiǎn yǒudiǎnr qiānqiǎng fùhuì le.
这未免有点儿牵强附会了。
Your justification is not persuasive at all.

Lesson 11   Compliment and Praise

第十一课　　<ruby>赞赏<rt>Zànshǎng</rt></ruby>、<ruby>表扬<rt>biǎoyáng</rt></ruby>

Situation 1   Being a Guest at a Friend's House
情景一　　在朋友家做客

Nǐ qù yí wèi péngyou jiā zuòkè,　jiàndàole péngyou de mǔqīn (niánsuì jiào dà)
你去一位朋友家做客，见到了朋友的母亲(年岁较大)
You are a guest in your friend's house and you meet his mother (elderly)

How to say it

Nín jīntiān de qìsè zhēn búcuò.
您今天的气色真不错。
You look great today.

Nín de jīngshén zǒngshì nàme hǎo !
您的精神总是那么好！
You are always so full of life.

Péngyou de háizi xiàng nǐ wènhǎo,　nǐ shuō
朋友的孩子向你问好，你说
Your friend's child says hello, so you say

什么时候说什么话
WHEN TO SAY WHAT

How to say it

Zhè háizi zhēn tǎo rén xǐhuan.
这孩子真讨人喜欢。
This child is really adorable.

Nǐ de háizi zhème kě'ài, zhēn ràng rén xiànmù.
你的孩子这么可爱，真让人羡慕。
Your child is so cute. It's quite enviable.

How to reply

Nǎr a, nǐ bù zhīdào, kě táoqì le.
哪儿啊，你不知道，可淘气了。
What? You don't know how naughty he is.

Kàndào péngyou xīn mǎi de yí gè huāpíng
看到朋友新买的一个花瓶
You see a vase your friend recently purchased

How to say it

Zhège huāpíng tǐng yǒu tèsè de.
这个花瓶挺有特色的。
This flower vase is quite unique.

How to reply

Xièxie, nà kànlái wǒ mǎi duì le.
谢谢，那看来我买对了。
Thanks, it looks like I bought the right thing.

Xiàng zhǔrén chēngzàn fàncài
向主人称赞饭菜
Complimenting your host about the food

80

怎 么 说
How to say it

Zhè dùn fàn hǎochī jíle.
这顿饭好吃极了。
This was really an excellent meal.

Nǐ zuò fàn de shǒuyì zhēn liǎobudé.
你做饭的手艺真了不得。
You're a wonderful cook.

Wǒ yǐjīng hǎojiǔ méi chīguò zhème kěkǒu
我已经好久没吃过这么可口
de fàncài le.
的饭菜了。
I haven't had a meal this delicious in a
long time.

怎 么 回 答
How to reply

Nǎr a, nǐ tài kèqi le.
哪儿啊，你太客气了。
Thank you. You're too polite.

Nǎlǐ, nǎlǐ, guòjiǎng le.
哪里，哪里，过奖了。
Thanks. You flatter me.

Situation 2 Praising Someone's Ideas
情景二   赞赏别人的看法

Nǐ gēn zhǔrén liáotiānr, nǐ duì tā de kànfǎ biǎoshì xīnshǎng
你跟主人聊天儿，你对他的看法表示欣赏
When talking with your host, and you appreciate his views

怎 么 说
How to say it

Yǒu dàolǐ.
有道理。
That makes sense.

Zhēn shì gāojiàn!
真是高见!
Well said.

Shēnkè! Jīngpì!
深刻!精辟!
Profound! Incisive!

Yì yǔ pò dì!
一语破的!
You really get to the point.

Zhēn shì zì zì zhū jī.
真是字字珠玑。
Every word is a gem.

Zhēn shì tíhú guàn dǐng.
真是醍醐灌顶。
That's really refreshing.

Tīng jūn yì xí huà, shèng dú shí nián shū.
听君一席话，胜读十年书。
Hearing such a profound statement is like learning ten years worth of books.

Situation 3 Expressing Satisfaction or Admiration
情景三　　表示满意或钦佩

Cóng péngyou jiā huílái hòu, tóngwū wèn nǐ jīntiān guò de zěnmeyàng, Nǐ duì tā tánqǐ
从朋友家回来后，同屋问你今天过得怎么样,你对他谈起

jīntiān de qíngkuàng
今天的情况

After getting back from your friend's house, you talk about your day
with your roommate

Tándào fàncài, nǐ fēicháng mǎnyì
谈到饭菜，你非常满意

You were very satisfied with the food

How to say it

Jīntiān de fàncài tèbié hǎochī.
今天的饭菜特别好吃。
The food today was especially delicious.

Jīntiān de fàncài hǎochī de bùdéliǎo.
今天的饭菜好吃得不得了。
The food today was really exceptional.

Jīntiān de fàncài biétí duō hǎochī le.
今天的饭菜别提多好吃了。
I just can't tell you how wonderful the food was today.

Jīntiān de fàncài hǎo de méifǎrshuō le.
今天的饭菜好得没法儿说了。
There's no way to describe how good the food was today.

WHEN TO SAY WHAT

Rúguǒ nǐ búshì tèbié xǐhuan
如果你不是特别喜欢
You were not very impressed

怎么说
How to say it

Hái chéng.
还成。
So-so.

Hái kěyǐ.
还可以。
It was all right.

Yìbān ba.
一般吧。
Average.

Tándào nǐ péngyou de hànyǔ shuǐpíng, nǐ hěn pèifú
谈到你朋友的汉语水平，你很佩服
You admire your friend for speaking Chinese so well

怎么说
How to say it

Tā zhēn liǎobuqǐ.
他真了不起。
He's incredible!

Tā zhēn ràng rén pèifú!
他真让人佩服!
He is really admirable!

Tā tài lìhai le!
他太厉害了!
He's awesome!

Tā zhēn bù jiǎndān.

他真不简单。

He is remarkable!

Tā cái lái Zhōngguó bàn nián, hànyǔ jiù shuō de nàme hǎo, zhēn shì bù róngyì.

他才来中国半年，汉语就说得那么好，真是不容易。

He's only been in China for half a year; already being able to speak Chinese so well is not an easy feat.

Tā de hànyǔ shuō de nàme hǎo, zhēn lìng rén nányǐ zhìxìn.

他的汉语说得那么好，真令人难以置信。

His Chinese is so good. It's unbelievable.

Lesson 12　Discontent

Bùmǎn
第十二课　不 满

Situation 1　Telling Someone You Do Not Like the Flavor
情景一　　告诉别人你不喜欢的口味

Nǐ gēn péngyou zài fànguǎn diǎn cài,　nǐ bù néng chī tài là de,　yúshì nǐ duì péngyou shuō
你跟朋友在饭馆点菜，你不能吃太辣的，于是你对朋友说

You and your friend are ordering food in a restaurant and you tell him that you can't eat spicy food

怎么说
How to say it

Wǒ pà là.
我怕辣。
I can't stand spicy food. (Lit.: I'm scared of spicy food.)

Wǒ chī bù liǎo là de.
我吃不了辣的。
I can't eat spicy food.

Wǒ duì là de bú tài gǎn xìngqù.
我对辣的不太感兴趣。
I don't care much for spicy food.

Wǒ bù xǐhuan chī là de.
我不喜欢吃辣的。
I don't like spicy food.

Wǒ bú ài chī là de.
我不爱吃辣的。
I'm not fond of spicy food.

Situation 2 Dissatisfaction with Smokers
情景二　　对吸烟者不满

Fànguǎn lǐ yǒu rén xī yān, nǐ hěn bù gāoxìng
饭馆里有人吸烟，你很不高兴
You are not happy that someone is smoking in the restaurant

怎么说
How to say it

Wǒ zuì pà yān wèi.
我最怕烟味。
I can't stand the smell of smoke.

Wǒ hěn tǎoyàn yān wèi.
我很讨厌烟味。
I really dislike the smell of smoke.

Zhè zhǒng yān wèi jiǎnzhí ràng wǒ shòubuliǎo.
这种烟味简直让我受不了。
I can't stand the smell of smoke.

Nǐ de péngyou yě duì xīyānzhě bùmǎn
你的朋友也对吸烟者不满
Your friend is also dissatisfied with the smoker

怎么说
How to say it

Zhège rén zhēn shì de.
这个人真是的。
Can you believe this guy?

Zhè zhǒng rén zhēn tǎoyàn.
这种人真讨厌。
These people are so disgusting.

Zhè zhǒng rén tài kěwù le.
这种人太可恶了。
These people are deplorable.

Wǒ zuì hèn zhè zhǒng zài gōnggòng chǎnghé xī yān de rén.
我最恨这种在公共场合吸烟的人。
What I really hate are people who smoke in public.

Situation 3　Having No Choice but to Complain to Friends
情景三　很无奈并向朋友抱怨

Nǐ xiàng jīnglǐ tóusù yǐhòu, wèntí bìng méiyǒu jiějué, fànguǎn de fàn yě bù hǎochī,
你向经理投诉以后，问题并没有解决，饭馆的饭也不好吃，
nǐmen hěn wúnài
你们很无奈

After complaining to the manager, the problem was not resolved. On top of that, the food was terrible and there's really nothing you can do about it

怎么说
How to say it

Zhēn dǎoméi.
真倒霉。
What horrible luck!

Zhēn shì qǐ yǒu cǐ lǐ.
真是岂有此理。
This is really ridiculous.

Zhēn shì de!
真是的!
Wow, whatever.

Suànle ba, yǒu shénme bànfǎ ne? Dàbuliǎo xiàcì bù lái le.
算了吧，有什么办法呢? 大不了下次不来了。
Ah, just forget it. What else can we do? At worst, we just won't come here anymore.

Fǎnzhèng yǐjīng zhèyàng le, jiù suàn wǒmen dǎoméi ba.
反正已经这样了，就算我们倒霉吧。
There is nothing we can do about it. It's just bad luck.

Huí xuéxiào hòu, nǐmen xiàng tóngxué bàoyuàn
回学校后，你们向同学抱怨
After you get back to school, you complain about it to your classmates

---

怎么说
How to say it

Nà jiā fànguǎn zhēn bù zěnmeyàng.
那家饭馆真不怎么样。
That restaurant really isn't great.

Nà jiā fànguǎn shízài tài chà le.
那家饭馆实在太差了。
That restaurant is terrible.

Nà jiā fànguǎn chà jí le.

那家饭馆差极了。

That restaurant is extremely bad.

Nà jiā fànguǎn chàjìn dàojiā le.

那家饭馆差劲到家了。

That restaurant is horrible.

Nà jiā fànguǎn zāogāo de yàomìng.

那家饭馆糟糕得要命。

That restaurant is horrendous.

Nà jiā fànguǎn zāogāo de bùnéng zài zāogāo le.

那家饭馆糟糕得不能再糟糕了。

That restaurant couldn't be worse.

Lesson 13　Criticism

第十三课　批 评
<small>Pīpíng</small>

Situation 1　Being Late for Class
情景一　　学生上课迟到

<small>Nǐ shàngkè chídào le,　lǎoshī pīpíng nǐ</small>
你上课迟到了，老师批评你
You are late for the class. The teacher admonishes you

怎 么 说

How to say it

<small>Xiàcì　lái zǎo diǎnr.</small>
下次来早点儿。
Come earlier next time.

<small>Yǐhòu　bié zài chídào le.</small>
以后别再迟到了。
Don't be late next time.

<small>Xià bù wéi lì.</small>
下不为例。
This is the last time.

<small>Rúguǒ nǐ yǐqián jiù chídàoguo,　lǎoshī kěnéng huì shuō</small>
如果你以前就迟到过，老师可能会说
If you have been late before, the teacher might say

怎 么 说
How to say it

Nǐ zěnme lǎo chídào a?
你怎么老迟到啊？
How is it that you always arrive late?

Shì bú guò sān.
事不过三。
You can't let this happen again. (Lit.: Anything bad can't happen more than three times.)

Situation 2　Harsh Blame and Explaining Oneself
情景二　　严厉的批评及辩解

Nǐ kāi bàba de xīn chē chūqù wánr, bù xiǎoxīn bǎ chē zhuànghuài le. Nǐ bàba hěn
你开爸爸的新车出去玩儿，不小心把车撞坏了。你爸爸很
bù gāoxìng
不高兴

You drive your father's new car out and get into an accident. He is very unhappy

怎 么 说
How to say it

Wǒ zhēn bù míngbai nǐ zěnme huì zhème bù xiǎoxīn!
我真不明白你怎么会这么不小心！
I really don't understand how you could be so careless?

Nǐ yě tài bù xiǎoxīn le ba?
你也太不小心了吧?
Well aren't you careless?

Zěnme huì zhème bù xiǎoxīn a, nǐ?
怎么会这么不小心啊,你?
How could you have been so careless?

Yàoshì zǎo zhīdào zhèyàng, shuō shénme wǒ yě bú huì ràng nǐ kāi.
要是早知道这样,说什么我也不会让你开。
If I knew this would happen, I wouldn't have let you drive it no matter what
you said.

Yǔqì gèng qiángliè, gèng zhíjiē de pīpíng
语气更强烈,更直接地批评
Blame in a stronger and more direct tone

怎 么 说
How to say it

Kànkan nǐ gàn de hǎo shìr!
看看你干的好事儿!
Look at what you've done!

Nǐ dàodǐ zěnme gǎo de?
你到底怎么搞的?
How in the world could you have done this?

Nǐ shìzhe jiěshì
你试着解释
You try to explain what happened

怎 么 说
How to say it

Wǒ quèshí bú shì gùyì de.
我确实不是故意的。
I really didn't do this on purpose.

Wǒ díquè shì búgòu xiǎoxīn,　　kě zhè jiàn shì yě bù néng quán guài wǒ.

我的确是不够小心，可这件事也不能全怪我。

I admit that I wasn't careful enough. But it wasn't completely my fault.

Nǐ xiān bié jīdòng,　　děng wǒ shuōwán hǎo ma?

你先别激动，等我说完好吗？

Please don't get upset so quickly. Can you wait for me to finish speaking?

Rúguǒ nǐ bù chéngrèn zhè shì nǐ de cuò

如果你不承认这是你的错

If you don't admit that it was your fault

怎么说

How to say it

Zhè bú shì wǒ de cuò,　　zhè wánquán shì duìfāng de cuò.

这不是我的错，这完全是对方的错。

This wasn't my fault. It was completely the other person's fault.

Zhè yǔ wǒ méiyǒu rènhé guānxì.

这与我没有任何关系。

It had nothing to do with me.

Wǒ gēn zhè shìr méiyǒu rènhé guānxì.

我跟这事儿没有任何关系。

I had absolutely nothing to do with it.

Zhè jiàn shì zěnme néng guài wǒ ne?

这件事怎么能怪我呢？

How could anyone possibly blame me for this?

Zhè jiàn shì guàibuzháo wǒ.

这件事怪不着我。

You can't blame me for this.

Nǐ bàba tīngle shàngmiàn de huà yǐhòu fēicháng shēngqì
你爸爸听了上面的话以后非常生气
Your father is quite mad after hearing what you've just said

怎 么 说
How to say it

Nǐ shuō shénme ne?
你说什么呢?
You don't know what you're talking about!

Nǐ zhè shì qiǎng cí duó lǐ.
你这是强词夺理。
You are making an argument based on faulty reasoning.

Bú shì nǐ de cuò, nándào shì wǒ de cuò?
不是你的错，难道是我的错?
It's not your fault? I guess it's my fault then!

Nǐ zhè zhǒng tàidu zhēn lìng wǒ wúfǎ rěnshòu.
你这种态度真令我无法忍受。
I really can't stand your attitude!

Nǐ de tàidu tài lìng wǒ shīwàng le.
你的态度太令我失望了。
I am really disappointed with your attitude.

Nǐ jiǎnzhí bù kě lǐ yù.
你简直不可理喻。
You're simply unreceptive to reason.

Lesson 14   Comfort

_{Ānwèi}

第十四课　安　慰

Situation 1   A Friend Lost His/Her Wallet
情景一　朋友丢了钱包

_{Yígè péngyou bù xiǎoxīn diūle qiánbāo, hěn bù kāixīn, nǐ ānwèi tā}
一个朋友不小心丢了钱包，很不开心，你安慰她

A friend is very upset because she lost her wallet. You comfort her

How to say it

_{Tài kěxī le, búguò hǎozài lǐmiàn méi duōshao qián.}
太可惜了,不过好在里面没多少钱。
That's a shame. Luckily there wasn't a lot of money in it.

_{Diūle jiù diūle ba, yǐhòu xiǎoxīn diǎnr jiùshì le.}
丢了就丢了吧，以后小心点儿就是了。
What's gone is gone. You just need to be more careful in the future.

96

Suànle,　　jiù dàng jiāo xuéfèi le.
算了，就当交学费了。
Forget it, just chalk it up. (Lit.: Just take it as the tuition for this lesson.)

Jiù de bú qù,　　xīn de bù lái ma.
旧的不去，新的不来嘛。
Out with the old; in with the new!

Sàiwēng shī mǎ,　　yān zhī fēi fú.
塞翁失马，焉知非福。
Misfortune might be a blessing in disguise.

Bù jīng yí shì,　　bù zhǎng yí zhì ma.
不经一事，不长一智嘛。
Live and learn, right?

Situation 2　A Friend Failed to Enter the University
情景二　　朋友没有被大学录取

Péngyou shēnqǐng yì suǒ dàxué méi néng bèi lùqǔ, tā hěn jǔsàng,　　nǐ ānwèi tā
朋友申请一所大学没能被录取,他很沮丧，你安慰他
Your friend was rejected by a university and he is very depressed.
You comfort him

怎么说
How to say it

Méi shénme dàbuliǎo de.
没什么大不了的。
It's not a big deal.

Bié huīxīn,　　shèngbài nǎi bīngjiā chángshì ma.
别灰心，胜败乃兵家常事嘛。
Cheer up! Win or lose—it's how you play the game.

Situation 3   A Friend Failed in Applying for the Scholarship
情景三   朋友没有申请到奖学金

Yǒu gè péngyou bèi míngpái dàxué lùqǔ le,   yīnwèi méiyǒu shēnqǐng dào jiǎngxuéjīn,

有个朋友被名牌大学录取了，因为没有申请到奖学金，

zhèngzài wèi xuéfèi fāchóu.   Nǐ ānwèi tā

正在为学费发愁。你安慰他

One of your friends has already been accepted by a famous university, but he is worried about how to cover the tuition because he didn't get the scholarship. You comfort him

怎 么 说
How to say it

Bié dānxīn,   zǒng huì yǒu bànfǎ de.

别担心，总会有办法的。

Don't worry. There is always a solution.

Chénzhù qì,   bú huì yǒu wèntí de.

沉住气，不会有问题的。

Calm down. It will be all right.

Bú yòng fāchóu,   chuán dào qiáotóu zìrán zhí.

不用发愁，船到桥头自然直。

You needn't worry. Everything will work itself out naturally in the end.

Fàngxīn ba,   tiān wú jué rén zhī lù.

放心吧，天无绝人之路。

Relax. There's always a way.

Nǐ bú yào xiǎngbukāi,   méiyǒu guò bú qù de Huǒyànshān.

你不要想不开，没有过不去的火焰山。

Look on the bright side. There is nothing that we can't get through.

Situation 4　A Friend Had Difficulties in Learning Chinese
情景四　朋友学汉语遇到困难

Péngyou xiàng nǐ bàoyuàn,　hànzì tài duō,　zǒngshì jì bú zhù,　nǐ ānwèi tā
朋友向你抱怨，汉字太多，总是记不住，你安慰他

A friend complains to you that there are too many characters to memorize, so you comfort him

怎么说
How to say it

Bié jí,　mànmānr　lái.
别急，慢慢儿来。
No worries. It takes time.

Xīn jí chī bù liǎo rè dòufu.
心急吃不了热豆腐。
Good things come to those who wait.

Nǎr néng yì kǒu chī ge pàngzi?
哪儿能一口吃个胖子？
You can't expect it to all come at once. (Lit.: It's impossible to become fat after one meal.)

Situation 5　A Friend Broke up with His Girlfriend
情景五　　朋友失恋

Péngyou de nǚpéngyou hé tā fēnshǒu le, tā qíngxù hěn dīluò. chá bù sī fàn bù xiǎng
朋友的女朋友和他分手了，他情绪很低落，茶不思饭不想

Your friend's girlfriend broke up with him and he is so depressed that he doesn't feel like doing anything at all

怎 么 说

How to say it

Bié xiǎng ·nàme duō le.
别想那么多了。
Don't think about it too much.

Bié gēn zìjǐ guòbuqù.
别跟自己过不去。
Don't make your life hard.

Xiǎngkāi diǎnr.
想开点儿。
Look on the bright side.

Guòqù de jiù ràng tā guòqù ba.
过去的就让它过去吧。
Let bygones be bygones.

Tiānyá héchù wú fāngcǎo.
天涯何处无芳草。
There are plenty of fish in the sea. (Lit.: There are beauties everywhere.)

Lesson 15 Persuasion

Shuōfú、quànshuō
第十五课　说服、劝说

Situation 1 Encouraging a Friend to Get Hold of a Chance
情景一　鼓励朋友抓住机会

Nǐ de péngyou dédàole　yì bǐ qù Běijīng liúxué de jiǎngxuéjīn,　tā xiǎng qù dàn yòu dānxīn
你的朋友得到了一笔去北京留学的奖学金，他想去但又担心

shìyìng bù liǎo Běijīng de huánjìng,　yīncǐ yìzhí yóuyù bù jué.　Nǐ juéde zhè duì tā
适应不了北京的环境，因此一直犹豫不决。你觉得这对他

láishuō shì gè hǎo jīhuì,　bù yīnggāi yóuyù
来说是个好机会，不应该犹豫

Your friend was awarded a scholarship to study in Beijing, but is afraid that he might find it too hard to adapt to the new environment. You think it's a good opportunity and that he shouldn't hesitate

怎么说
How to say it

Nǐ yīnggāi náchū diǎnr pòlì lái,　zhè jiàn
你应该拿出点儿魄力来，这件

shì zhème zuò zhǔn méi cuò.
事这么做准没错。
Stiff upper lip, I'm sure everything will be fine.

Zhè míngmíng shì hǎo shìr,　　 hái yóuyù　 shénme?
这明明是好事儿，还犹豫什么？
This is clearly good news. Why are you hesitating?

Nǐ kě bié zuòshī liángjī!　 Tīng wǒ de,　 cuò bù liǎo.
你可别坐失良机！听我的，错不了。
Don't miss this golden opportunity. You won't go wrong if you listen to me.

Zhè kě shì qiān zǎi nán féng de hǎo jīhuì a.
这可是千载难逢的好机会啊。
This is the opportunity of a lifetime.

Jī bù kě shī,　　 shí bú zài lái.
机不可失，时不再来。
Treasure this opportunity because it won't come again.

Bié qián pà láng hòu pà hǔ de.
别前怕狼后怕虎的。
Don't get carried away by your anxiety.

Jīhuì　 nándé,　　 bié zhān qián gù hòu le.
机会难得，别瞻前顾后了。
This is a rare and valuable opportunity. Don't hesitate anymore.

Situation 2　Persuading Someone to Make a Decision
情景二　　劝说某人做出选择

Nǐ de dìdi xiǎng chuòxué qù dǎgōng,　　 nǐ bú zànchéng zhèzhǒng xiǎngfǎ,　　 nǐ rènwéi tā
你的弟弟想辍学去打工，你不赞成这种想法，你认为他

yīnggāi chèn niánqīng xiān wánchéng xuéyè
应该趁年轻先完成学业

Your younger brother wants to quit high school to go to work, but you
don't agree because you think it's best to learn while he is still young

怎么说
How to say it

Nàyàng zuò tài bù míngzhì le.
那样做太不明智了。
This is not a wise way to go about things.

Wǒ juéde nàyàng duì nǐ yìdiǎnr hǎochu dōu méiyǒu.
我觉得那样对你一点儿好处都没有。
I see no benefit in this for you.

Wǒ rènwéi nàyàng duì nǐ yǒu bǎi hài ér wú yí lì.
我认为那样对你有百害而无一利。
I think this is bad for your future.

Yàoshi wǒ, dǎ sǐ wǒ yě bú huì nàyàng zuò de.
要是我，打死我也不会那样做的。
If it were me, I wouldn't act like this even if someone forced me.

Bié jiǎnle zhīma diūle xīguā.
别捡了芝麻丢了西瓜。
You're winning the battle, but losing the war. (Lit.: Don't cast aside a watermelon for a sesame seed.)

Rén wú yuǎnlǜ, bì yǒu jìnyōu. Wǒ juéde nǐ háishì bǎ yǎnguāng fàng chángyuǎn
人无远虑，必有近忧。我觉得你还是把眼光放长远
yìdiǎnr wéi hǎo.
一点儿为好。
"If you fail to heed the long term, you will be stuck worrying about the short term." I say you'd better have foresight.

Nǐ zhèyàng zuò dé bù cháng shī, wǒ quàn nǐ háishì shènzhòng wéi hǎo.
你这样做得不偿失，我劝你还是慎重为好。
What you're doing really isn't worth it. I advise you to be more cautious.

Shìshàng kě méiyǒu mài hòuhuǐyào. de.
世上可没有卖后悔药的。
You'll regret this later. (Lit.: Nowhere can you buy a cure for regret.)

103

Shì guān zhòngdà,　　sān sī ér hòu xíng.
事关重大，三思而后行。
This is a crucial decision. Think before you act.

Nǐ de dìdi tīngwán nǐ de huà hòu,　juédìng zài kǎolǜ kǎolǜ,　nǐ kěyǐ
你的弟弟听完你的话后，决定再考虑考虑，你可以
After listening to you, your younger brother decides to consider
it further. So you may

How to say it

Zuìhòu de juédìngquán zài nǐ shǒuli,　búguò wǒ kě
最后的决定权在你手里，不过我可
quán shì wèile nǐ hǎo.
全是为了你好。
You have to make the final decision. Everything
I've done is for your own good.

Wǒ gāi shuō de dōu shuō le,　zěnme juédìng jiù kàn nǐ de le.
我该说的都说了，怎么决定就看你的了。
I have said all that I can say. The decision is up to you.

Gāi shuō de wǒ dōu shuō le,　nǐ hǎo zì wéi zhī.
该说的我都说了，你好自为之。
I have said all that I can say. It's totally up to you now.

Lesson 16　Guess

第十六课　　猜　测
<small>Cāicè</small>

Situation 1　Guessing the Result of a Baseball Match with Friends
情景一　　跟朋友猜测棒球比赛结果

<small>Bōshìdùn　Hóngwàzi Duì hé Niǔyuē Yángjī Duì de bǐsài gānggāng kāishǐ,　nǐ hé</small>
波士顿红袜子队和纽约扬基队的比赛刚刚开始，你和

<small>péngyoumen zài yùcè　bǐsài　jiéguǒ</small>
朋友们在预测比赛结果

There is a game between the Boston Red Sox and the New York Yan-
kees. The match just started and you and your friends are predicting
the result

<small>Nǐ de　yí gè péngyou shì Hóngwàzi de qiúmí,　tā duì Hóngwàzi bǐjiào yǒu xìnxīn</small>
你的一个朋友是红袜子的球迷，他对红袜子比较有信心

One of your friends is a big Red Sox
fan and he's quite confident that
they'll win

怎么说
How to say it

Wǒ gǎn dǎdǔ Hóngwàzi kěndìng huì yíng.
我敢打赌红袜子肯定会赢。
I bet that the Red Sox will win.

Wǒ xiāngxìn zhè chǎng bǐsài Hóngwàzi shí yǒu bā jiǔ huì yíng.
我相信这场比赛红袜子十有八九会赢。
I think the Red Sox have an 80% to 90% chance of winning.

Wǒ juéde Hóngwàzi yíng de kěnéngxìng fēicháng dà.
我觉得红袜子赢的可能性非常大。
I'm guessing that there is a good possibility that the Red Sox will win.

Wǒ gūjì Hóngwàzi duōbànr néng yíng.
我估计红袜子多半儿能赢。
I think the Red Sox will probably win.

Wǒ kàn Hóngwàzi zhè cì yíng de kěnéng yǒu bā chéngr.
我看红袜子这次赢的可能有八成儿。
I think the Red Sox have a very good chance of winning this time.

Zhè cì Hóngwàzi wánquán yǒu kěnéng dǎbài Yángjī Duì.
这次红袜子完全有可能打败扬基队。
It's totally possible for the Red Sox to defeat the Yankees this time.

Yī wǒ kàn, Hóngwàzi zhè cì yǒu yíng de kěnéng.
依我看，红袜子这次有赢的可能。
In my opinion, it's quite possible for the Red Sox to win this time.

Lìngwài yí gè péngyou tóngyì tā de kànfǎ, dàn bù shífēn kěndìng
另外一个朋友同意他的看法，但不十分肯定
Another friend essentially agrees with him but not quite sure

怎么说
How to say it

Yīnggāi méi shénme wèntí.
应该没什么问题。
There shouldn't be any problem.

Àn lǐ shuō, yǒu (zhège) kěnéng.
按理说，有(这个)可能。
That's reasonable, it's a possibility.

Yěxǔ ba.
也许吧。
Perhaps.

Dàgài huì.
大概会。
Maybe.

Huòxǔ ba.
或许吧。
Possible.

Kànyàngzi, yěxǔ huì.
看样子，也许会。
It seems likely they will.

Dànyuàn ba.
但愿吧。
I hope so.

Xīwàng rúcǐ.
希望如此。
I hope so.

Hái yǒu yí gè péngyou duì cǐ bú tài lèguān
还有一个朋友对此不太乐观
Another friend isn't too optimistic about it

怎么说
How to say it

Méizhǔnr.
没准儿。
It's hard to tell.

Nánshuō.
难说。
It's hard to say.

Shuōbudìng.
说不定。
I can't say.

Bù yídìng.
不一定。
Not necessarily.

Wèibì.
未必。
Perhaps not.

Kěnéngxìng bú dà.
可能性不大。
Not very likely.

Gòuqiàng.
够呛。
No way.

Bú jiàndé.
不见得。
I don't think so.

Kǒngpà méi nàme róngyi.
恐怕没那么容易。
I'm afraid that it won't be that easy.

Situation 2 Disagreeing with Other's Prediction
情景二   对别人的预测提出不同看法

Nǐ shì Yángjī Duì de qiúmí, nǐ bú kànhǎo Hóngwàzi
你是扬基队的球迷，你不看好红袜子
You are Yankees fan and you think the Red Sox aren't likely to win

怎 么 说
How to say it

Kěnéngxìng fēicháng xiǎo.
可能性非常小。
It's very unlikely.

Jīhū bù kěnéng.
几乎不可能。
It's almost impossible.

Jīběnshang méiyǒu zhège kěnéng.
基本上没有这个可能。
That's basically impossible.

Xīwàng shífēn miǎománg.
希望十分渺茫。
There is no hope!

Kěnéngxìng jīhū wéi líng.
可能性几乎为零。
The possibility is almost zero.

Bù kěnéng.
不可能。
Impossible.

Bù cúnzài zhèzhǒng kěnéngxìng.
不存在这种可能性。
That is not possible.

Fàngxīn ba, juéduì bù kěnéng.
放心吧，绝对不可能。
Forget about it. It's absolutely impossible.

Rúguǒ Hóngwàzi de qiúmí shì nǐ hěn shú de péngyou, nǐ hái kěyǐ
如果红袜子的球迷是你很熟的朋友，你还可以
If the Red Sox fans are your close friends. You can also

How to say it

Nǐ zài shuō mènghuà ba?
你在说梦话吧？
Are you dreaming? (Lit.: Are you speaking in a dream?)

Zuòmèng ne ba?
做梦呢吧？
Are you dreaming?

Bié zuòmèng le.
别做梦了。
Stop dreaming.

Méixì.
没戏。
Out of question.

109

Lesson 17 Prologue and Conclusion

第十七课　开场白和结束语
Kāichǎngbái hé jiéshùyǔ

Situation 1 At the Beginning of a Meeting
情景一　会议开始

Nǐ shì yì chǎng huìyì de zhǔchírén, huìyì kāishǐ de shíhou yīnggāi
你是一场会议的主持人，会议开始的时候应该
You're presiding a seminar. When the
meeting starts you should

How to say it

Jìrán dàjiā dōu dàoqí le, wǒmen jiù kāishǐ ba.
既然大家都到齐了，我们就开始吧。
Since everyone is here, let's start then.

Zánmen xiān cóng zhège wèntí kāishǐ tǎolùn ba.
咱们先从这个问题开始讨论吧。
Let us start with this topic.

Zánmen kāi mén jiàn shān, zhíjiē jìnrù zhèngtí ba.

咱们开门见山，直接进入正题吧。

Let's get right to the point.

Wèi jiéyuē shíjiān wǒmen zhí bèn zhǔtí ba.

为节约时间我们直奔主题吧。

In order to save time, let's get straight to the subject.

Jīntiān wǒmen nándé yǒu jīhuì jù zài yìqǐ, dàjiā jiù chàng suǒ yù yán, suíbiàn

今天我们难得有机会聚在一起，大家就畅所欲言，随便

shuō ba.

说吧。

What a rare occasion it is for us all to be here. Let's all speak our minds freely.

Nǐ jiàn méiyǒu rén xiān fāyán, yúshì juédìng zìjǐ xiān shuō

你见没有人先发言，于是决定自己先说

Since no one else wants to, you decide to start

怎 么 说

How to say it

Wǒ xiān qǐ gè tóur.

我先起个头儿。

Let me start.

Yàobù wǒ xiān lái shuō liǎng jù ba.

要不我先来说两句吧。

Let me first say a few words.

Wǒ xiān lái ba, pāo zhuān yǐn yù.

我先来吧，抛砖引玉。

I will start with a few words to get the ball rolling.

Yǒu rén tǎolùn de shíhou pǎotí le, nǐ yīnggāi

有人讨论的时候跑题了，你应该

You notice someone starts getting off the topic, so you should

怎么说
How to say it

Zhè shì hòuhuà,　wǒmen xiān bù tán zhège.
这是后话，我们先不谈这个。
We'll come to this in time. Let's move on for now.

Zánmen bié shuō tài yuǎn le.
咱们别说太远了。
Let's not get off topic.

Zhè huà chě de yǒudiǎnr tài yuǎn le.
这话扯得有点儿太远了。
This is off the topic.

Zánmen xiān bǎ zhège wèntí fàng zài yìbiānr ba.
咱们先把这个问题放在一边儿吧。
Let's put this question aside and come back to it later.

Duìbuqǐ,　zánmen néng bù néng zànshí bù shuō zhège wèntí?
对不起，咱们能不能暂时不说这个问题？
I am sorry. Can we try not to talk about this issue now?

Wǒmen háishì xiān huà shǎo shuō,　yán guī zhèng zhuàn ba.
我们还是闲话少说，言归正传吧。
Let's cut the chit-chat and get back to the topic at hand.

Nǐ jiàn yǒurén zhèngzài yóuyù
你见有人正在犹豫
You see someone hesitate

怎么说
How to say it

Méi guānxi,　chàngsuǒ yù yán.
没关系，畅所欲言。
It's all right, speak what's on your mind.

Dàjiā dōu shì zìjǐrén, xiǎng shuō shénme jiù shuō shénme.
大家都是自己人，想说什么就说什么。
We're all familiar here. Just say what's on your mind.

Yǒu shénme huà jǐnguǎn shuō, bú yào yǒu shénme gùlù.
有什么话尽管说，不要有什么顾虑。
Just say what's on your mind. No need to think too much.

Yǒu shénme huà, dàn shuō wú fáng.
有什么话，但说无妨。
It's okay, please say whatever you want.

Situation 2　At the End of a Meeting
情景二　　会议结束

Huìyì kuài jiéshù le, zhǔchírén kěyǐ
会议快结束了，主持人可以
At the end of a meeting, the host will

怎么说
How to say it

Nà jiù zhèyàng ba!
那就这样吧！
Let's end here.

Jīntiān jiù dào zhèr ba.
今天就到这儿吧。
That's all for today.

Shíjiān chàbuduō le, wǒmen jiù tán dào zhèlǐ ba.
时间差不多了，我们就谈到这里吧。
It's about time, let's end here.

Jīntiān jiù bù dānwù dàjiā tài duō shíjiān le.

今天就不耽误大家太多时间了。

I don't want to take too much of your time today.

Xièxie dàjiā bǎimáng zhīzhōng chōukòng qiánlái.

谢谢大家百忙之中抽空前来。

Thank you all for finding time in your busy schedules to come here.

Hǎole, wǒ xiǎng jīntiān wǒmen jiù shuō dào zhèr ba.

好了，我想今天我们就说到这儿吧。

Well, let's stop here today.

Rúguǒ shíjiān dào le, dàjiā chíchí dá bù chéng yízhì de yìjiàn

如果时间到了，大家迟迟达不成一致的意见

If you haven't reached consensus when time is up

How to say it

Zhège wèntí hěn fùzá, wǒmen yǐhòu zài tán.

这个问题很复杂，我们以后再谈。

This problem is very complicated. Let's talk about it later.

Wǒ kàn zànshí xiān zhèyàng ba, huíqù yǐhòu dàjiā zài hǎohāor kǎolǜ kǎolǜ.

我看暂时先这样吧，回去以后大家再好好儿考虑考虑。

I think that's all for today. As for the rest, let us go back and think it over.

Jīntiān xiān zhèyàng, yǐhòu zài tán ba!

今天先这样，以后再谈吧！

That's it for today. We'll continue later.

Shíjiān yě bù zǎo le, zánmen yǐhòu zhǎo gè jīhuì zài tán ba.

时间也不早了，咱们以后找个机会再谈吧。

It's getting late. Let's continue some other time.

Lesson 18 Farewell

Gàobié
第十八课　告别

Lùshang yùdào yí gè péngyou,　nǐmen hánxuān hòu gàobié
路上遇到一个朋友，你们寒暄后告别

You met a friend on the street.
After greeting each other
you say goodbye

How to say it

Zàijiàn.
再见。
Bye.

Huíjiàn.
回见。
See you.

Huítóujiàn.
回头见。
See you later.

Gǎirì jiàn.
改日见。
See you some other day.

Rúguǒ dàngtiān xiàwǔ nǐmen huì shàng tóng yì mén kè
如果当天下午你们会上同一门课

If you are going to the same class later that afternoon

How to say it

Yíhuìr jiàn.
一会儿见。
See you in a while.

Xiàwǔ jiàn.
下午见。
See you this afternoon.

Situation 2　Farewell to the Host after a Visit
情景二　　在别人家做客与主人告别

Nǐ qù péngyou jiā zuòkè, línzǒu qián
你去朋友家做客，临走前

You visit your friend at his/her house. Before you go

How to say it

Shíjiān bù zǎo le, wǒ jiù bù dǎrǎo le.
时间不早了，我就不打扰了。
It's late. I should leave. (Lit.: It's too late to disturb you any more.)

Wǒ hái yǒudiǎnr shìr, xiān gàocí le.
我还有点儿事儿，先告辞了。
I have some things to do and should go now.

How to reply

Jìrán zhèyàng, wǒ jiù bù wǎnliú le, wǒ sòngsong
既然这样，我就不挽留了，我送送
nǐ.
你。
I won't keep you then. Let me walk you out.

Rúguǒ hái yǒu biéde kèrén, nǐ yīnggāi
如果还有别的客人，你应该
If there are other guests, you should

怎 么 说
How to say it

Bù hǎoyìsi, shīpéi le.
不好意思，失陪了。
Sorry, but I must be leaving.

Bàoqiàn, wǒ xiān zǒu yíbù.
抱歉，我先走一步。
My apologies, I must go.

Zhǔrén sòng nǐ dào ménkǒu, nǐ yīnggāi
主人送你到门口，你应该
If the host walks you to the door, you should

怎 么 说
How to say it

Qǐng liúbù.
请留步。
No need to escort me any further.

Zhǔrén yīnggāi
主人应该
The host should

什么时候说什么话
WHEN TO SAY WHAT

怎么说
How to say it

Màn zǒu.
慢走。
Take care.

Zǒu hǎo.
走好。
Take care.

Nà wǒ jiù bù yuǎnsòng le, lùshang xiǎoxīn diǎnr.
那我就不远送了，路上小心点儿。
Then I won't walk you further then. Be safe on the way back.

Situation 3   Farewell to a Friend at Airport
情景三   在机场与朋友告别

Nǐ zài jīchǎng sòng yí wèi huí guó de péngyou
你在机场送一位回国的朋友
You are seeing off a friend who is going back to their country

怎么说
How to say it

(Zhù nǐ) yí lù píng'ān, hòu huì yǒu qī.
(祝你)一路平安，后会有期。
Have a safe journey. See you some
day in future.

118

Hòu huì yǒu qī,　　duōduō bǎozhòng.
后会有期，多多保重。
See you some day in future. Take care.

Nǐ yě zìjǐ zhàogù hǎo zìjǐ,　　yǐhòu qù Měiguó dehuà bié wàngle gàosù wǒ.
你也自己照顾好自己，以后去美国的话别忘了告诉我。
Please take good care of yourself. If you go to America one day, don't forget to tell me.

Duō bǎozhòng,　　bǎochí liánxì.
多保重，保持联系。
Take care and keep in touch.

Yíqiè shùnlì,　　yǒu kòngr gěi wǒ fā diànzǐ yóujiàn.
一切顺利，有空儿给我发电子邮件。
I wish all is well with you. Send me an email if you have time.